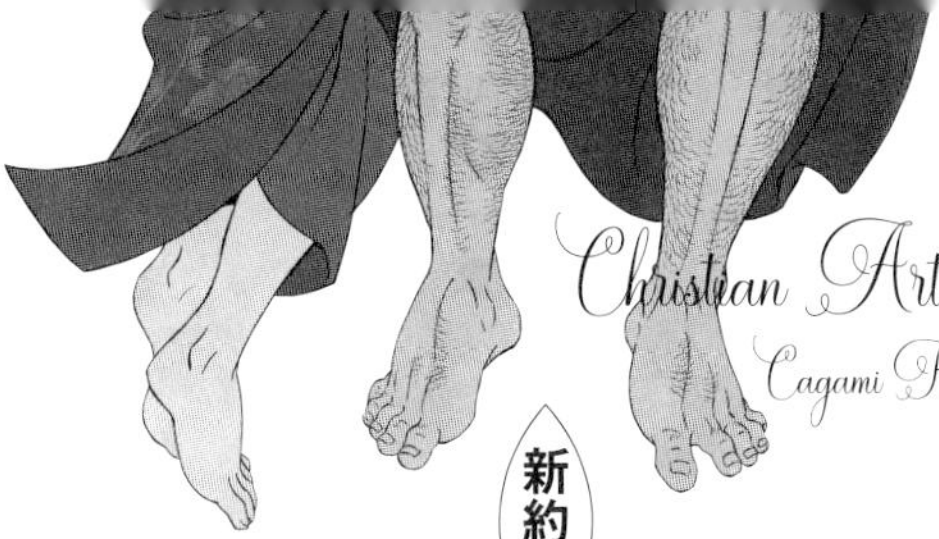

Christian Art without honor and humanity

Cagami Kyosuke + Ikegami Hidehiro

仁義なき聖書美術

新約篇

架神恭介＋池上英洋

筑摩書房

仁義なき聖書美術【新約篇】目次

第一部　仁義なき新約物語……21

第二部　仁義なき新約聖書の美術……105

仁義なき聖書美術【新約篇】

前口上

『仁義なき聖書美術』【新約編】である。

本書は、現代日本人のための西洋美術入門書として、新約聖書の物語を紹介し、それらを題材とした美術作品の読み解き方を案内する一冊である。

全体は大きく二部構成となっている。第一部では聖書の物語を広島やくざ風に語り直してみた。なぜ広島やくざ風なのかについてはあえて説明しないが、これによって聖書の世界がみなさんにより身近なものとして感じられることだろう。

第二部では、第一部と違った美術史的な観点から、さまざまなテーマがどう表現されてきたのかを、具体的な解説とともにお届けする。

序章と第一部の本文は架神が、第二部の本文と両部の図版選定・図版解説は池上が担当した。

恐ろしくも鮮烈な聖書美術の世界を存分に味わっていただければ幸いである。

なお、姉妹編として【旧約編】も同時に刊行されている。あわせてお読みいただければ、より理解が深まることだろう。

著者識

序章　ある祭り

一四九七年二月七日――、フィレンツェの政庁前広場は異様な熱気に包まれていた。熱は広場で煌々《こうこう》と燃え上がっている巨大な木製ピラミッドによるものだけではなかった。それを取り巻く観衆たちも、火の勢いに負けぬ熱気をそれぞれが胸に宿していたのである。彼らはトランプやダイス、ドレス、姿見、書籍や絵画などを各々その手に握りしめていた。

観衆の熱狂が炎と共に高まってきた頃合いを見計らい、中央に立つ巨漢の悪相やくざがメガホンを片手に声を張り上げた。

「レディース・エン・ジェントルメーン！」

取り囲む群衆たちは目をギラつかせ、「待ってました」とばかりに歓呼の声で呼応する。悪相のやくざ、ドミニコは一段と声を張り上げた。

「さあさあ、今年もやってまいりました。皆さんお待ちかね、虚栄の焼却の時間です！　皆さんのお宅にある博打道具や化粧品、軟派なラブコメ小説や、青少年の健やかな成長に悪影響を及ぼす春画などを持ち寄り、ドシドシ炎の中に投げ込んで、我らがヤハウェ大親分への忠誠を示そうではありませんか！　では、サヴォナローラの兄貴、一言お願いしやす！」

司会の悪相やくざが後ろを振り向くと、どしりと椅子に腰かける鷲鼻のやくざ者が重々しく頷いた。サヴォナローラと呼ばれた男はギラリと目を光らせると、椅子を蹴倒しながら勢い良く立ち上がり、握り固めた拳を突き上げて、観衆に向けてやおらに叫んだ！

「デストローイ！」

観衆は呼応し、拳を突き上げ叫んだ！

「デストローイ!!」

そして、人々は駆け出す！　サヴォナローラ親分の叱咤を受け、意気軒昂たる皆々は、各々、持参品を担ぎ上げると、雄叫びを上げながら中央の篝火《かがりび》へと一斉突撃。赫々と燃える炎の中へと軟派道具を次々と投げ込んでいく。熱に呑まれて溶けゆく品々を目にした彼らのボルテージは否応なく高まり、歓呼の叫びはもはや奇声へと変じていた。一方で、これらの情景に純然たる悲鳴を上げている者たちの一派もあり、彼らは貴重な文化財や日々を彩る遊び道具が無益に失われてく様に堪え切れず、地団駄を踏み、抗議の意志を託して雌猫の死体を炎に向けて投げつける。「悪友団」と呼ばれる上流階級子弟の者たちである。

だが、そのような嫌がらせなど、どこ吹く風とばかりに、使命感に燃える硬派やくざ、サヴォナローラ親分やその組員たち、そして彼らのシンパである市民やくざたちの軟派道具破壊活動は止まらない。

果たして、この白昼堂々たる破壊活動は何事であろうか。狂ったやくざたちの突発的凶行であろうか。いや、そうではない。この一大イベントを説明するためには、この時代に発生した古代任俠道復興運動について些《いささ》か紙幅を割かねばならない。この運動は俗に「ルネサンス」と呼ばれるものである――。

当時の西洋を精神的に支配していたのは、無論、ヤハウェ大親分、イエス若頭による広域任俠団体「キリスト組」である。だが、ユダヤ組の二次団体であるキリスト組が覇権を握る以前から、彼の地にはギリシャ組、ローマ組といった巨大な任俠団体が存在しており、彼らには彼らの任俠道があった。そういった失われし古代任俠道への興味関心が、この時になって再び呼び覚まされ、やくざ画や極道文学といった形で華開き始めていたのである。

しかし、キリスト組の任俠道が骨身に染み込んでいる頑固一徹の極道者にとっては、無論、面白くもない話である。何がゼウス大親分じゃ、色目使いおって馬鹿たれが、わしらの親分はヤハウェ大親分だけじゃないの、というわけだ。ヤハウェ大親分への忠誠を忘れ、軟派に堕している連中に喝を入れるべく、極道なら極道らしく道を極めんかいとばかりに、このようなイベントを執り行った次第であった。旗を振ったのは当時フィレンツェにて圧倒的な影響力を発揮していた大俠客、サヴォナローラ。キリスト組系修道組織「サン・マルコ修道組」の組長である。修道士とは生涯を懸けて道を極めんとするプロの極道のことを言う。

だが、古代任俠道文化、及び、博打や贅沢品などの遊興を目の敵とする過激な破壊活動にフィレンツェの皆が、賛同しているわけではないことは、先の悪友団の存在からも明白であった。なお、キリスト組系二次団体である「カトリック組」親分、ローマ教皇もまた、サヴォナローラを危険視し、警戒していた。サヴォナローラの主張はヤハウェ大親分への忠誠を誓い、男を磨こうというものだから、教皇が敵視する理由は特になさそうなものだが、そこはそれ、やくざの世界である。状況は複雑怪奇であり、様々な妖怪が潜んでいる。事はそう単純ではない。

「ええじゃないの、ええじゃないの！　腐り外道の軟派道具が煌々と燃えよるわい！」

司会のドミニコが爛々と目を輝かせて呵々大笑する。彼はサン・マルコ修道組の幹部やくざであった。群衆の熱狂が一段と高まりを見せた折を見計らい、彼は一段と声を張り上げ叫んだ。

「皆さま、ご注目ください！　ここで、本日のスペシャルゲストのお三方をご紹介いたします！」

おおっ！　と群衆の視線がドミニコに集中する。彼の隣にはローブをまとった三人の謎の男！　一体何者か⁉

その一人が早速ローブを脱ぎ捨てて声高に叫んだ。

「一人目はわし、フラ・バルトロメオじゃあ！」

群衆が興奮の声を上げて男を出迎える。ローブの下から現れた姿はまだ二十歳そこそこの若者。だが、その若さにもかかわらず、男は既にその力量を広く認められた実力派の画家であった。

若者は自作品を両手で持ち上げ、群衆の前に高々と掲げ上げた。

「わしが燃やすんは、これ！　『ディアーナに扮したゼウスとカリスト』じゃ！」

バルトロメオが取り上げた作品は一体なんであろうか？　これはギリシャ組のゼウス大親分をモチーフとしたやくざ画であった。色狂いの大親分が、カリストなる男嫌いの女やくざを口説き落とすために、彼女の親分格である女侠客ディアーナに変装して事を致すという代物である。そういった諸々の背景を無視して見れば、これはたわわな乳房をさらけ出した女侠客二人の濡れ場という同性愛的春画とも見ることができ、その優れた筆致やエロチシズムはその場にいた群衆の股間に男女の別なく訴えかけ、強く刺激した。

だから、バルトロメオがそれを勇ましい掛け声と共に躊躇《ちゅうちょ》なく炎の中に投げ込んだ瞬間、群衆は、うおおおーっと興奮の叫び声を上げ、一方で悪友団の連中は血涙を流して悲鳴を上げた。それが素晴らしいものであればあるほど、高貴で代え難い芸術品であればあるほど、バルトロメオは男を上げる事ができるのだ。己の描いた歴史的芸術作品が燃え落ちていく様を見守りながら、若者は誇らしげにふふんと鼻を鳴らした。群衆は盛大な「バルトロメオ！」コールでもって彼の男ぶりを称賛する。

そんな状況に、二人目のフードの男はわなわなと右手を震わせ、一刻も早く自作品を燃やしたい、もう辛抱たまらんとばかりにフードを剝ぎ取った！　そこに現れたのは四十がらみのやくざの顔だ。

「次はこのわし、ロレンツォ・ディ・クレーディが男を見せる番じゃ！」

この男の登場に群衆はまたまた大興奮である！　ロレンツォ・ディ・クレーディと言えば、レオナルド・ダ・

ヴィンチの兄弟分としても知られる画家だ。一体どれほどの作品を燃やす気なのか！

「わしが燃やすんは、これ！　『レダと白鳥』じゃ！」

男が掲げ上げた作品を見て、群衆は躍り上がって喝采を上げた。悪友団は泣き崩れて地面を乱打する。

『レダと白鳥』とは、これまたギリシャ組のゼウス大親分をモチーフとしたやくざ画である。例によって、色狂いの大親分は人妻レダを狙ったのだが、彼女を油断させるために白鳥に扮装して行為を迫ったという変態画であって、その絵は諸々の背景を無視してもしなくても、獣姦そのものである。構図上、明らかに白鳥の一物は全裸のレダの秘部へ深々と挿し込まれていた。この変態画は群衆男女の股間を否応なく刺激し、強く感情を揺るがした。故に、これが炎の中へと力強く投げ込まれるや、大絶賛と大号泣の嵐が広場を席巻したのである。

ところで一つお断りしておく。バルトロメオやロレンツォがこれらの作品を燃やしたというのは実は筆者の完全なる妄想である。というのは、彼らが自作品を火の中に投げ込んだこと自体は確かなのだが、いかんせん燃えて無くなったのだから、一体何がこの時に失われたのか、今となってはよく分からないのだ。しかしまあ、当たらずとも遠からずであろう。とにかくこういった古代任俠道由来のエッチな作品が焼かれたのであった。

ロレンツォ・ディ・クレーディは興奮に頬を上気させ、やり遂げた男の顔をして戻ってきたが、それを見た三人目のローブの男はくすりとあざ笑った。カチンと来たバルトロメオとロレンツォが直ちに男に食って掛かる。

「な、なんじゃ！　おどりゃ、わしら以上の作品が燃やせる言うんか！」

だが、男は彼らの怒りになど取り合わず、なだめるように彼らの肩を叩いて子供扱いした。

「ククク、おどれら、なかなかええ男じゃのう。じゃがの、最後はやはりわしが締めにゃいけんようじゃのう！」

三人目の男は大胆不敵な笑みを浮かべて、その身にまとうローブを剝ぎ取った。そして、そこに現れた男の姿に一堂は息を呑み、バルトロメオとロレンツォは震える指で彼を指さして絶叫を上げた！

「ゲ、ゲェーッ！　ボ、ボ、ボッティチェッリーッ⁉」

そう、フィレンツェを代表する画家、ボッティチェッリその人である！　彼は前二者に対して余裕の含み笑いを向けると、朗々とした声で群衆に言い放った。

「わしが燃やすんは『ヴィーナスの誕生』じゃ！」

これを聞いた群衆は興奮のあまり半狂乱へと陥り、飛び跳ね、おめき叫んで、喝采を上げた。一方で、悪友団の連中は顔面蒼白となって失禁しながらその場にへたり込んでしまう。

そう、『ヴィーナスの誕生』である。もはや知らぬ者はおるまい。美と愛の女俠客ヴィーナスの全裸姿を描いたボッティチェッリの代表作である。ピンと来ない読者は、でかい貝殻の上に立つ全裸の女性を思い浮かべるといい。そう、それだ。

そんな大作品をこの男は惜しげもなく燃やそうというのだ。なんたる男ぶりか。こいつは本物の極道者に違いない。群衆は狂乱しながらも尊敬と敬慕の眼差しを老画家へと注いだ。

だが——、

「あ、あのう……親方」

「なんじゃ、ボケ！」

賞賛の喝采に気を良くしていたボッティチェッリは、横槍を入れてきた弟子に横柄な返事を返した。弟子は眉を八の字に曲げて、言いにくそうな素振りで注進する。

「『ヴィーナスの誕生』なんですけんど……」

「おう、はよ持ってこんかい！　男に二言はない。燃やす言うたら燃やすんじゃ！」

「いや、ないんですわ」

「あ、何言うとるんなら！」

「いや、親分、先日、わしに送れ言うとったじゃないですか。ようやく買い手が見つかった、言うて……。じゃけん、もう送りましたけん」

「…………は？」

ボッティチェッリは途端に真っ青な顔になって弟子の目を見た。

「ないの？『ヴィーナスの誕生』、ないの？」

「だから、ありませんってば」

「ないの⁉」

その間もボッティチェッリを称える群衆の声は高まるばかりである。群衆の期待は最高潮に達していた。「ボッティチェッリさんは本物の男じゃのう！」「わしも見習いたいもんじゃ」「『ヴィーナスの誕生』が燃えるところ、一生忘れんよう目に焼き付けんといけん！」そんな会話が聞こえてくる。ボッティチェッリの頬を冷や汗が伝う。

「お、おい、こんなぁ、わしの工房にひとっ走りして、なんか持って来んかい、なんか」

「な、なんか、いうて、なんですか！」

「色々あったじゃろうが！　マルスとかヘラクレスとかケンタウロスとか！　あと、あれじゃ。『デカメロン』の挿絵用スケッチ。あれもこれも、とにかくあるもの全部持って来るんじゃ！」

＊

この日のうちにボッティチェッリの様々な作品が焼けて失われたことを歴史は伝えている。ボッティチェッリの『ヴィーナスの誕生』や、同じくヴィーナスなどを描いた『春（プロマヴェーラ）』は、幸いにも彼の手元を離れていたため焼失を免れた。これらは今はフィレンツェにあるウフィツィ美術館に目玉作品として飾られている。

第一部

仁義なき新約物語

MIRACLE
01
マタイ+ルカ

受胎告知

神様のご指名

「はあ……」

「おう、どしたんなら」

俯き顔で溜め息を吐き続けるヨセフを見かねて、大工仲間の男が尋ねた。

「おどれ、先日、マリヤ（マリア）さんと婚約したいうて、えろう浮かれとったじゃないの。それがどうしたんなら。シケた面してよう」

「あぁ」

ヨセフは暗い顔のまま首を振って、「実はな」と切り出した。ヨセフの告白を聞いた大工仲間は、「ええっ⁉」と叫び、驚きを隠せず、慌てて聞き返した。

「に、妊娠⁉　マリヤさん、もう妊娠した言うんか。おどりゃ、婚約したばかりじゃいうのに、げえっひっひ、手が早いのう！　のう！」

「阿呆！　そぎゃあに早う妊娠する訳があるかい！　それに、わしゃまだマリヤとすけべもしとらんのじゃ……」

「エッ！　じゃ、じゃあ、まさか……」

「そのまさかしかなかろうがい。うちのは否定しとるがのう。そうとしか考えられんわ。わしゃ、ほんまにショックで、婚約解消も考えとるんじゃ」

マリヤは婚約以前にどこぞのチンピラと一発ヤって、その子種を宿したに違いないのだ。ああ、なんということだ。身持ちの固い女と信じてたのに。

別れ話を切り出すべく、重い足取りでマリヤの家へと向かったヨセフ。だが家の扉を開けようとしたところで、彼はハッと気付いて息を止めた。中から若い男の声が聞こえたのだ。窓からこっそり中を覗き見ると……それ見たことか！　キザな男が白百合を片手にマリヤに何かを語りかけているではないか！

さてはこのドサンピン！　マリヤの不義密通の相手か！　ブチ殺したらァ！

ヨセフは懐の中に隠し持っていたドスを握りしめた。しかし、聞き耳を立てていると、どうも中の二人の様子がおかしい。マリヤは酷く怯えていて、恋人同士の甘い語らいとはとても思えないのだ。そして、若い男の口からヨセフは恐るべき名を耳にした！

「おう、良かったのう、女ァ！　おどれはの、ヤハウェ大親分に見初められたんじゃ！」

ヤ、ヤハウェ大親分⁉　ヨセフは己が耳を疑った。

ユダヤやくざの中でその名を知らぬ者はいない。圧倒的暴力と恐怖で大抗争を繰り広げた、ほとんど神の如き武闘派やくざである。

ということは、この若いチンピラ、もしやガブリエル！　ヤハウェ大親分の舎弟として有名な、あの⁉　ヨセフは顔面蒼白になって懐のドスから手を離した。危ないところだった。大親分の舎弟に喧嘩を売れば命はない。

そのガブリエルがマリヤに言った。

「じゃけえの、おどれが孕んだのも何も心配せんでええ。おどれの腹からイエスいう名の子が産まれる。ヤハウェのおやっさんはイエスさんに若頭の位を与えるじゃろう」

「そ、そんな。アタイ、まだすけべもしとらんのに、妊娠だなんて……」

「ハッ！　大親分の手にかかれば不可能などないんじゃ」

それだけ告げてガブリエルは去っていった。戸口の外で震えていたヨセフは覚悟を決めるしかなかった。ヤハウェ大親分の種だというなら、嫌も応もなく受け入れざるを得ないのだ。

架神恭介の〈仁義なき解説〉

有名な「受胎告知」のエピソードだが、四福音書の中ではルカでしか描かれていない。マタイの場合はマリヤの方にではなく夫のヨセフの夢の中に天使が現れて、ヨセフを説得している。マルコとヨハネでは触れられてすらいない。本稿はマタイとルカの描写のチャンポンであり、時系列も若干異なっているが、小説上の演出ということでご容赦願いたい。

さて、マリヤの妊娠は聖霊によるものとされており、処女でありながら懐妊したということになっている。これは不思議な話なので、何らかの合理的な解釈を与えようとして、「マリヤは流れ者と関係を持った。イエスはその子ではないか？」といった説が持ち上がることがある。そうかもしれない。だが、そのレベルで想像して良いのなら、イエスは普通にマリヤとヨセフがセックスして生まれた子であって、それ自体は特に何の不思議もないのだが、箔をつけるために後からこういう設定になった、と考えた方が素直かもしれない。

図1　ロレンツォ・ロット、《受胎告知》、1534-35年、レカナーティ（イタリア）、市立絵画館／突如現れた大天使ガブリエルに驚いて逃げ出す猫が可愛らしいが、しかし天使は霊的な存在なので見えるはずもなく、よってここでは、悪魔的存在とみなされていた猫の感知能力が発揮されたとみてよい。

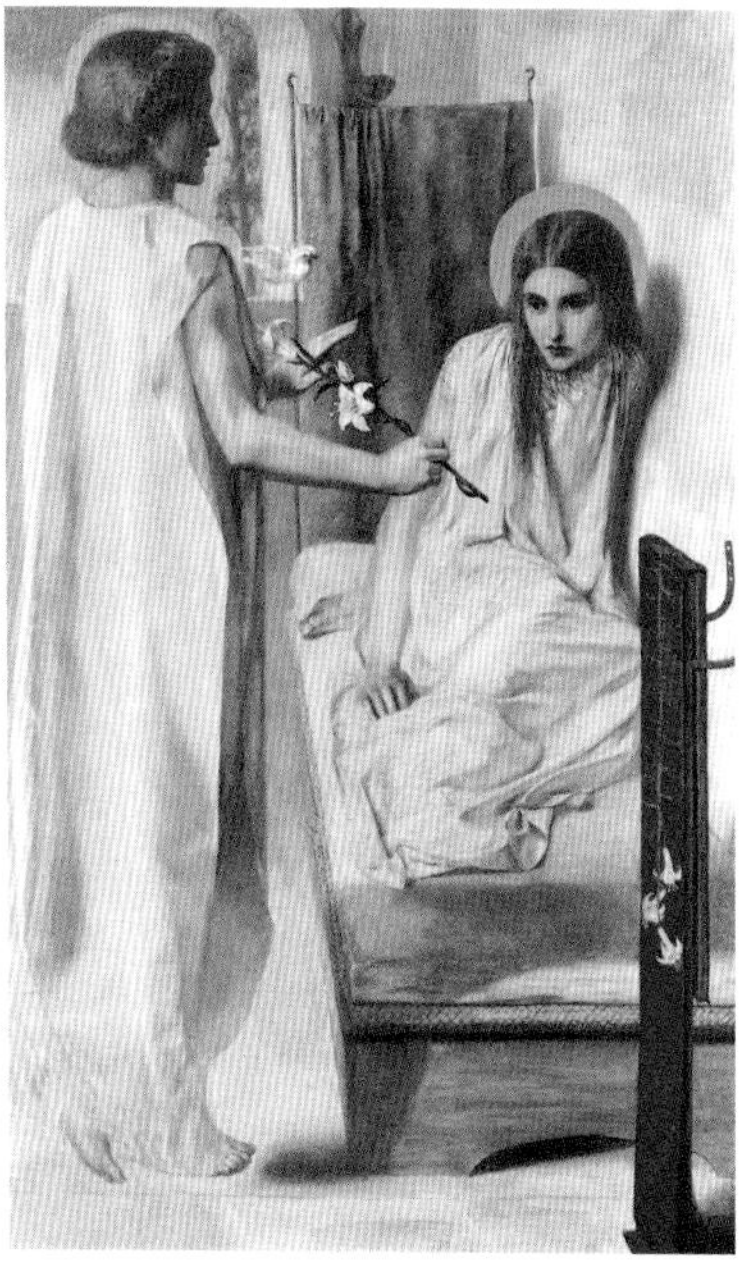

図2　ダンテ・ガブリエル・ロセッティ、《見よ、主のはしためを》、1850年、ロンドン、テート・ギャラリー／ラファエル前派の領袖ロセッティによる受胎告知。シンメトリックな構図は崩れ、マリヤはとまどうただの少女で、天使には翼もない。しかしだからこそ目の前の出来事のような臨場感がある。

MIRACLE
02
マタイ+ルカ

降誕と東方三博士の礼拝

空気の読めない占星学者たちが招く ヘロデ大王の脅威

「おお、ここじゃ、ここじゃ」

「ここにおられるんかのう」

「星のお導きじゃけん、間違いないよう」

明るい顔をして、わいわいと家畜小屋を訪れた三人の占星学者たち。だが、彼らを待ち受けていたのは鈍く光るドスの切っ先であった。

「おどりゃ、動くなワレェ！」

「ひぃいいっ！」

首元に突きつけられた凶器に怯えて、先頭の占星学者が尻餅をついて失禁した。残りの占星学者たちも次々と失禁する。彼らは震えながら、凶器を閃かす男の顔を見た。

男はイエスの父ヨセフであった。彼の背後には、飼い葉桶に寝かされたイエスと、母マリヤの姿。ヨセフの目は血走り、敵愾心《てきがいしん》に満ちている。占星学者たちは慌てて弁明を始めた。

「か、堪忍してくれえ！　わしら怪しいもんじゃない！　ユダヤやくざの若頭がお生まれになったいうて占いに出たけえ、伏し拝みに来ただけじゃ！」

「嘘吐くない！　どこの鉄砲玉じゃ、ワレェ」

ヨセフは切っ先を占星学者の喉元にさらに押し付けた。学者の首筋を赤い雫《しずく》が一筋滴った。

マリヤの出産が迫るにつれて、ヨセフは危機感をひしひしと募らせていたのだ。ガブリエルによれば、将来、自分の息子がヤハウェ大親分から若頭の位を授けられるという。

だが、それが本当だとすれば、ユダヤ地区一帯を支配するやくざ、ヘロデ親分が黙って見過ごすはずがない。必ずヒットマンを差し向けてくる。ヨセフとマリヤがあえて旅籠《はたご》ではなく家畜小屋に身を隠し、ここで出産を迎えたのも、無論、ヘロデの刺客を警戒してのことである。

ヨセフはドスを突きつけたまま、手早く占星学者たちを身体検査した。……ドスもハジキ（投石器）も持っていない。こいつら、本当にただの占星学者か？

「おどりゃタコども、どぎゃんしてここを知ったんじゃ！」

「ひぃい！　ほ、星が導いてくれたんです！」

「ここに来るいうこと、他に誰かに漏らしたか？　あぁ⁉」

「へ、へい！　へ、ヘロデ親分さんに……。親分さん、自分もぜひ伏し拝みたいけん、居場所分かったら教えてくれ、言うとったですけん」

「コンの糞バカタレが！」

額から血を噴き出して占星学者が倒れた！　ヨセフのヘッドバットが炸裂したのだ！

「おどれら、頭沸いとるんか！　ヘロデの外道の狙いはわしの息子のタマじゃ！　腐り外道の口車に乗せられてええように使われたんじゃ！」

「ひええっええええ！」

占星学者たちが泡を吹いて気絶した。ヨセフは彼らが来た方向に目を凝らして、チッと舌打ちした。

「外道！　ボンクラども揃えて、ぎょうさん来よったか！」

ニタニタと笑う不気味な男たちの集団が向こうから大挙して迫っている！　家畜小屋の中からマリヤが叫んだ！

「あんた！」

「おどれはガキを連れて逃げるんじゃ！　ここはわしが命がけで食い止める！」

ヨセフがドスを天高く振り上げ、奇声を轟《とどろ》かせて威嚇した！

「ウワオオーッ、ギャオオォオーッ！」

架神恭介の〈仁義なき解説〉

前章に引き続き、こちらもマタイとルカのチャンポンである。絵画などでは家畜小屋の飼い葉桶の中に寝かされているイエスを東方の占星学者が訪ねるわけだが、飼い葉桶の中に寝かされる描写はルカにしかなく、東方の占星学者が訪ねてくる描写はマタイにしかない。また前後の文脈も全く違うので、この二つの情景を一緒に描くこと自体に無理がある。……のだが、絵画の方がそうなっているので小説の方も無理矢理そういうことにしてみた。

なお、イエスは馬小屋で生まれたとよく言われるが、ルカには「飼い葉桶の中に横たえた」とあるだけで、馬小屋で生まれたという明確な記述はない。そのため本文では「家畜小屋」としたが、実際、小屋だったかどうかもよく分からない。洞窟で生まれたという説もある。

図3　ハンス・バルドゥング・グリーン、《東方三博士の礼拝》、1507年、ベルリン美術館／三賢者の人種と年齢が異なることにお気づきだろうか。黒人種の賢者が最も若いのは、欧州から未熟とみられていたからだ。そして最年長の賢者がアジア人なのは、先行文明だがすでに衰退が始まっているとの意だ。

図4　サンドロ・ボッティチェッリ、《神秘の降誕》、1500年頃、ロンドン、ナショナル・ギャラリー／《春》や《ヴィーナスの誕生》のような華やかな異教的主題は、サヴォナローラに感化されて以降は消え去り、本作のような難解で神秘主義的なキリスト教主題ばかりを手掛けた。

MIRACLE
03
マタイ+ルカ

割礼と幼児虐殺

グッジョブ！　〝父〟の務めを果たしたヨセフ

「ギャオオオオッ！」

迫り来るボンクラどもの群れから息子を守るべくヨセフが奇声を張り上げた。向こうからはヒットマン集団がどんどんと近付いてくる。ヨセフは覚悟を固めてドスを振り上げた。だが……！

彼は見た。集団の先頭に立つ見知った男の姿を。おお、あれはガブリエル！　かつて受胎を告知するためマリヤの下を訪れた、ヤハウェ大親分の使者である。

「ぎゃはは！　驚かせてすまんのう！」

ガブリエルはヨセフの青ざめた顔を目にするやいなや、明るい声で呵々《かか》大笑した。そして、背後に引き連れし男たちの一団を指して言うのだ。

「こいつらはの、近所で野宿しとった羊飼いのゴロツキどもじゃ！　最強のやくざ、キリストが生まれるいうて教えてやったらのう。大挙して出産祝いに来よったんじゃ」

「お、驚かせんでつかぁさいや……」

息子を囲んできゃっきゃと騒ぎ始めたゴロツキどもの傍らで、ヨセフは安堵の溜め息を吐いた。「ところで、ヨセフの」とガブリエルが言った。

「おどれ、割礼《かつれい》は忘れんようせえよ。イエスさんにもキッチリやったるんじゃぞ」

割礼とは一種の包茎手術のことである。ユダヤやくざの間では生後八日目に割礼を行うことが義務付けられていた。

「知っとろうが、ヤハウェのおやっさんは包茎野郎が大嫌いじゃけえ。包茎じゃいうだけでブチ殺しに来るど」

「へ、へい……よう知っとりますけん」

かつてヤハウェ大親分の下で獅子奮迅の働きを見せた若頭モーセも、息子が包茎というだけで大親分から殺されかけたことがあるのだ。

「それからの、分かっとると思うが息子の名前はイエスじゃ。おどれらに命名権はない。これはわしを通じてのおやっさんの意思じゃけえな」

「は、はあ」

「それからの……これも言うとかにゃいけんの」

ガブリエルはヨセフの目を見て言った。

「おどれ、旅打てえ」

「！」

「ヘロデの外道がの、イエスさん、トッたろうちゅうて探し回っとるんじゃ。おどれ、マリヤとイエスさん連れてしばらくエジプトへ隠れとれ」

「へ、へい……！」

その後、ヨセフはガブリエルの指示に従い、妻と子を連れてエジプトへと逃れた。事実、危ういところだったのである。

占星学者たちは当然ヘロデの下へ報告になど行かなかった。すると、怒り狂ったヘロデが虐殺命令を発したのだ。イエスが生まれたと目されるベトレヘム（ベツレヘム）の地域一帯に武闘派やくざ軍団を差し向け、二歳以下の男児を皆殺しにしたのである。

エジプトへ逃げていたヨセフは、その話を風の噂に聞き及んで、背筋が凍る思いをした。

「あ、危ないところじゃった……。ヘロデの腐り外道、なんちゅう野蛮なことしよるんじゃ。それにしてもウチの息子が殺されんで本当にえかったわい。ふーっ、南無阿弥陀仏、南無阿弥陀仏」

架神恭介の〈仁義なき解説〉

ここも引き続きマタイとルカのチャンポン。マタイでは東方の占星学者が訪れ、ルカでは羊飼いたちが訪れているが、たとえばボッティチェッリなどがごっちゃにしているので、こちらもごっちゃにしてみた。羊飼いたちに出産を告げた天使と、ヨセフにエジプトへの脱出を勧めた天使が、受胎告知に来たガブリエルと同じかどうかは明確な記述がないが、話の都合上そういうことにした。

ヘロデ大王による幼児虐殺はおそらくフィクションであろう。特にそれを裏付ける資料はない。ただ、当時のベトレヘムの人口を考えると、せいぜい十人、二十人の虐殺なので、特に記録するほどの事件ではないと判断されたのかもしれない。

しかし、十人、二十人であろうと、殺された本人や家族としてはたまったものではない。完全にイエスのとばっちりで殺されてしまった。天使もイエス一家だけ逃さずに、ベトレヘムの人たちのことも少しくらいフォローしてあげればいいのにと思わざるを得ない。

図5　フラ・アンジェリコ、《割礼》、1451-52年、フィレンツェ、サン・マルコ修道院美術館／割礼をしていない者は追放せよと旧約に記されているほど、割礼はユダヤ民族にとってのアイデンティティの一部となっている。ただし画家は無割礼の文化圏にいるので、用具や術式をよく知らずに描いている。

図6　ダニエーレ・ダ・ヴォルテッラ、《嬰児虐殺》、1557年、フィレンツェ、ウフィツィ美術館／ミケランジェロの弟子で、《最後の審判》の裸体に腰布を描く役目にあたったので、褌画家として知られる。師匠が創始したマニエリスム様式のダイナミックな構図と歪みが、本作にもよくあらわれている。

MIRACLE
04
ルカ

聖家族

知られざる少年時代

「痛ッ……」

イエスが顔をしかめて己の左掌を見つめた。掌の真ん中から赤い血がじんわりと浮き出ていた。父のヨセフは心配そうに息子の手を取って傷口を見た。大工仕事を手伝う際に釘にでも引っ掛けたようだった。

——あれから七年が過ぎていた。エジプトに旅を打ったヨセフ一家だが、その後、彼らはガリラヤ地方のナザレという町に移り住み、ヨセフは大工業を営み始めた。幼かったイエスもすくすくと成長して七歳となっていた。

しかし、ヨセフには少し気にかかることもあった。子供らしい彼の言動に、時折、極道者の凄味のようなものが混じることだ。ヨセフは息子のそんな様子を見るたびに、かつてガブリエルの伝えた予言——「ヤハウェのおやっさんはイエスさんに若頭の位を与えるじゃろう」、その言葉を思い出さざるを得なかった。

「イ、イエス……大丈夫か？　手ェ見してみい」

ヨセフが息子の掌を覗き込んだが、幼きイエスは涙目になりながらも、可愛らしい声で気丈に言った。

「気にせんといてつかぁさい。エンコ詰めること思やぁ、こぎゃあな傷、どうってことないですけん！」

わずか齢七つにして既に小指を落とすことを考えている我が子に、ヨセフはぞくりとした背筋の寒さを覚えるのであった。やはり息子は生まれついての極道者なのであろうか……。

また、こんな事もあった。イエスが十二歳の時のことである。ヨセフ一家は過越祭《すぎこしのまつり》を祝うためにエルサレムへと上京した。過越祭とはユダヤやくざの間に伝わる一大やくざ祭りであり、かつてエジプトの地にて伝説の大侠客ヤハウェ大親分が大殺戮を繰り広げたことを祝う祭りである。

規定に従い、ラム肉でバーベキューを行った一家は、エルサレムを離れ、ナザレへの帰途に着いた。だが、およそ一日が経った頃に、ようやくヨセフが気付いたのだ。息子が……いないことに。

「ど、ど、どこ行ったんじゃ？」

ヨセフとマリヤは帰郷する人々の流れに逆行して、イエスを捜しながらエルサレムへと戻った。そして、三日間探し回った挙句に、ついに彼らはイエスの姿を発見したのである。そう、エルサレム神殿の中に、彼はいたのだ。

エルサレム神殿とはサドカイ組の経営する事務所であり、ヤハウェ大親分への上納金徴収などを請け負っている。少年イエスはそこに居並んだ幹部級やくざたちの真ん中に座って、彼らと任侠問答を繰り広げていたのだ。少年イエスの迫力ある受け答えと溢れる侠気に押され、手練の極道者たちが怖気づき、あるいは泡を吹いて座ったまま気絶していた。

だが、そんな光景に泡を食ったのはイエスの両親も同じである。周りの極道者に怯えながら、彼らはイエスに言った。

「こ、こぎゃあなところで何しとるんじゃ。捜したんじゃぞ！」

しかし、少年イエスは平然と言い返すのだ。

「わしを捜した？　なんでですかいの。わしがおやっさんの息の掛かった事務所におるのを知らんかったんですかいの」

イエスが掌を怪我したエピソードは四福音書にはない。というか、イエスの少年時代はほとんど描かれていない。上記小説の前半はミレイの絵の内容を小説化したものである。ミレイが何歳頃のイエスを意図して描いたのかも分からないので適当に七歳と設定した。

一方、後半の神殿のエピソードはルカ福音書に描かれている。イエスの少年時代を描いたエピソードは、実はルカのこの部分しかない。他の福音書が子供時代に全く触れていないということは、おそらく書くほどのエピソードが特になかったということだろう。ルカのこのエピソードもなんとも作り話めいている。

ユダヤ教の権威であるエルサレム神殿で問答をしていたことから分かる通り、基本的にイエスはユダヤ教徒である。キリスト教というのは、彼の死後、彼の一派に付けられた名称であり、イエスが自分をキリスト教徒と認識したことはない。

なお、イエスが神殿を素直に崇敬していたか苦々しく見ていたかは難しいところだが、ここではルカの表現に従った。

図8　ジャン=オーギュスト・ドミニク・アングル、《神殿で議論するイエス》、1862年、モントーバン、アングル美術館／少年イエスが博士や長老たちを議論で圧倒している場面。ねじれながら立っている円柱があるが、これはカトリックの総本山であるサン・ピエトロ大聖堂にベルニーニが作ったバルダッキーノ（大天蓋）からとられている。

図7　ジョン・エヴァレット・ミレイ、《両親の家のキリスト（聖家族）》、1849-50年、ロンドン、テート・ブリテン／大工の父ヨセフを手伝っていて、手に釘がささった少年イエス。これは将来イエスが十字架に釘打ちされることの暗示であり、だからこそマリヤが悲しげに我が子をいたわっている。

MIRACLE
05
マルコ+マタイ+ルカ

洗礼と荒野の誘惑

サタンを退け教祖デビュー

「おンどりゃ！　マムシの糞ガキどもが！　オリャーッ！」

「グワーッ！」

ヨルダン河の中に立つ大男は、万力の如き握力でもって二人のやくざの後頭部を両手で掴み、二つの顔面を勢いよく川面へと叩き付けた。

「おどりゃ、おどりゃ！　ヤハウェ大親分をもっと敬愛せんかい！　忠誠誓わんかい！　大親分のやくざ王国到来は目前じゃああ！」

全身を水の中へと沈められた二人が、両手をバタバタとさせて暴れた。おお、この凄惨極まる私刑《リンチ》は一体何事か⁉　さてはやくざ同士の苛烈なる制裁行為か？

いや、違う。これは洗礼と呼ばれる一種のやくざイニシエーションであった。やくざたちを次々ヨルダン河に沈めていく男の名はヨハネ。洗礼者ヨハネの二つ名で知られる当代きっての極道者であった。洗礼とは、ヤハウェ大親分への忠誠を新たにする意味を込めたパフォーマンスである。

ヨハネはやくざたちを解放し大声で呼ばわった。

「おどりゃタコども！　次にわしから洗礼受けたいんは誰じゃい！」

「わしじゃ！」

周りのやくざどもが二の足を踏む中、堂々とした足取りで進み出た男がいた。そして、その男の、菅原文太の如き厳めしい顔つきを見た途端、ヨハネの方が逆に驚いて後ずさりしたのである。彼は上ずった声で慌てて言った。

「あ、あンた、イエスさんじゃないの！　と、と、とんでもない、わし如きがイエスさんに洗礼じゃいうて、とてもとても……」

「何言うとるンならワリャ！」

イエスが一喝した。

「ここはおどれのシマじゃろうが。筋通させてつかぁさいや。わしを男にするために、のう！」

「ひ、ひぇえ！」

ヨハネは恐る恐るイエスに洗礼を施した。彼は知っていたのだ。イエスがヤハウェ組の若頭筆頭候補であることを……。事実、彼が洗礼を終えた瞬間、天が裂け、ヤハウェ大親分の俠気が鳩のようにイエスに降り、大親分のドスの利いた低音がどこからともなく辺りに響き渡ったのである。

「イエス、おどれ、ええ男じゃのう。流石《さすが》はわしの子分じゃ」

その後、イエスはヤハウェ大親分の指令により荒野へと向かった。だが、その彼の後を追い、接触してきたやくざがいた。その風格あるやくざはサタンと名乗り、イエスに対し恐るべきやくざネゴシエーションを仕掛けてきたのである。

「イエスさんよォ。こんなは担ぐ神輿《みこし》、間違うとるわい。ヤハウェじゃいうて、あぎゃあなしみったれ担いどっても、何もええこたぁない。ええように使われて捨てられるんがオチじゃ」

「何吐《ぬ》かしちょるンならワリャ！」

「おうおう、吠えるないや。のう、ワレとわしで親子盃交わさんか？　シマもゼニもマブい女も全部ワレのものじゃぞ」

「誰見てモノ言うとるんなら！　わしが仰ぐんはヤハウェのおやじだけじゃ！」

「分からん餓鬼じゃのう、いずれ後悔するど！」

サタンは唾を吐き捨てて去っていった。だが、威勢良く啖呵《たんか》を切ったイエスの心中にも、この時、微かな不安が過《よ》ぎっていたのである。

架神恭介の〈仁義なき解説〉

ヨハネの洗礼は、当時ユダヤ人の間で流行していたパフォーマンスである。後のキリスト教でも頭に水をつけたり、プールに入ったりする形で洗礼が行われている。

この頃のユダヤ社会では終末思想が流行っていた。これは、将来的に天変地異などが起こり、世の中が大混乱に陥った末に、なんかすごい奴（キリスト）が現れ、選ばれた者たちが救われ、神の国が実現する、という思想である。なので、そこで選ばれるためにも、今のうちに悔い改めておこうという運動が起こったのだ。洗礼は「一回溺死した気になって頑張ろう」くらいの意味合いと思われる。

おそらくイエスは普通に流行り物に乗っかっただけだと思うが、ヨハネの弟子ということになるとカッコが付かないので、マタイ福音書では「固辞するヨハネを説得して洗礼してもらった」形になっている。そんな無理をするくらいなら初めから書かなきゃいいのに、とも思うが、実際ヨハネ福音書では省略されている。

図9　ジョヴァンニ・ベッリーニ、≪キリストの洗礼≫、1500-02年、ヴィチェンツァ、サンタ・コローナ教会／ヴェネツィア派の指導者ベッリーニによる洗礼場面。上から父なる神＝精霊（鳩）＝子キリスト、という三位一体の図像になっている。右手前の岩に画家の署名がある。

図10　ヤコポ・ティントレット、≪キリストの誘惑≫、1579-81年、ヴェネツィア、スクオーラ・グランデ・ディ・サン・ロッコ／右上で頭部に後光（ニムブス）が射しているのが修行中のキリストで、画面左下のハンサムな若者が実は悪魔である。彼は空腹のキリストを誘惑するためのパンを両手に持っている。

洗礼者ヨハネの死

毒母とその娘が招いた惨劇

後の話である――。

洗礼者ヨハネの子分たちが、群れを成してイエスの下を訪れたことがあった。彼らは男泣きに泣きながら口々に言った。

「イエスの小父貴《おじき》！　ヘロデ・アンティパスの外道にヨハネの親父が殺《バラ》されたんじゃ！」

イエスは顔をしかめて子分たちに詳細を問い質した。すると、彼らは次のようなことを語った。

そもそもの始まりは、ヨハネがガリラヤとペレアの地方一帯を支配する大やくざ、ヘロデ・アンティパスの仁義にもとる振る舞いを非難していたことにあるという。ヘロデ・アンティパスの妻はヘロディアというのだが、彼女は元はヘロデ・ボエートスの妻であった。ボエートスはアンティパスの異母兄弟である。アンティパスは兄弟からヘロディアを寝取り、ヘロディアは前夫と離婚。アンティパスと再婚したのである。

だが、これはユダヤやくざの仁義に照らし合わせれば許されざることであった。なので、仁義の男ヨハネはアンティパスを堂々と非難していたのだが、そのようなことを大声で叫ばれてはアンティパスとしても名前に傷が付く。そこでアンティパスはヨハネをひとまず事務所に監禁した。しかし、彼とて手を掛けるのは難しかった。ユダヤやくざの間ではヨハネは仁義の男として名が通っており、下手に命を奪えば激発した若い者が何をするか分かったものではないからだ。

だが、アンティパスの傍《かたわ》らには彼以上にヨハネを憎んでいる者がいたのだ。アンティパスの妻、ヘロディアである。彼女は尻軽女と名指しされたことに怒りを隠し切れなかった。

ヘロディアは事あるごとにヨハネ抹殺を企んでいたが、その後、絶好の機会が訪れた。アンティパスの誕生日の宴で、ヘロディアの娘、サロメが見事な踊りを披露した時のことである。喜んだアンティパスは「サロメが欲しいもんは何でもくれちゃるけんのう!」と言ってしまったのだ。ヘロディアは好機を逃さず、早速娘を呼びつけて、よくよく因果を含めた。結果——、

「ヨ、ヨハネの首が欲しい言うんか!」

義理の娘の異様な申し出に、アンティパスが素っ頓狂な声を出した。サロメの方も微妙な表情で頷いた。

「な、なしてそぎゃあなものを……。やくざの首なぞ生臭いだけじゃぞ。綺麗なべべでも宝石でもええんじゃぞ」

「……そりゃ、あたしだって宝石の方がええけど、だって、お母ちゃんが……」

「ま~た、ヘロディアか。いたしいのう。ヨハネの小指じゃいけんのか」

「あくまで首が欲しい言うちょったけん……」

「はぁ。わしも皆の前で『何でもやる』と言うてしもうたしのう。いたしいのう、ホンマにいたしいことじゃ」

そして、一時間後——。

サロメの持つ盆の上には、断ち落とされたやくざの首が載っていた。その光景を前にアンティパスは頭を抱えた。サロメも「おえっ」となりながら、お盆を母の下へと運んだ。ただ一人、ヘロディアの哄笑だけが宴会場に響いた。

福音書によれば、上記の通り、ヨハネが処刑されたのは権力者の恋愛スキャンダルを批判したためとされている。現代のワイドショーなどでも、有名人の不倫だのなんだのは喜んでメディアが取り上げるものだから、当時の人達にとってもこれは恰好のゴシップネタであっただろう。

一方でフラウィウス・ヨセフスの『ユダヤ古代誌』には別の原因が示唆されている。ヨハネは当時の「時の人」であり、彼の民衆への影響力が叛乱へと繋がることを恐れて、政治的予防措置としてヨハネを処刑したとされているのである。福音書に語られるサロメのくだりはあまりにも物語然としているので、ヨセフスのニュアンスの方が実際に近いと思われる。

なお、福音書ではヘロディアの前夫はフィリッポスとされているが、これは福音書筆者のミスで実際はヘロデ・ボエートスとされている。そのため、本文もボエートスとして書いている。

図11　ギュスターヴ・モロー、《顕現》、1876年、パリ、オルセー美術館／モローの出世作のひとつで、似た構図をもついくつかのヴァリエーションがある。サロメの左上に亡霊のように座っているのがヘロデ・アンティパス。空中に首が現れるのはモロー独自の解釈。

図12　ベルナルディーノ・ルイーニ、《サロメ》、1527-31年、フィレンツェ、ウフィツィ美術館／レオナルド・ダ・ヴィンチが描く女性像にそっくりなサロメは、レオナルド派の画家ならでは。右端の男の醜怪さも、レオナルドの観相学を学んだ成果だ。

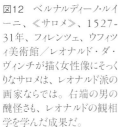

MIRACLE 07
マルコ+マタイ+ルカ

弟子の召命と奇跡

迷いなきヘッドハンティング、アンビリバボーな日々

「今日もシケとるのう」

ボロ船に乗った二人のゴロツキが網を引き上げながら嘆いた。彼らはシモンとアンドレアス（アンデレ）。漁労を生業とする兄弟であった。

「兄貴ィ、こぎゃあな片田舎で燻《くすぶ》っとってもつまらんど。ここらで一発勝負に出てよォ、太く短く生きて、わしらも男になったろうじゃない」

「おうよ。イエスの小父貴がよ、ヨハネ親分の跡を継いで動いちょるそうじゃ。ありゃあ、どえりゃあ貫目《かんめ》の人じゃけえよ。わしらもよ、小父貴と改めて兄弟盃交わそうじゃない」

と、そこに折よく通り掛かったイエス。彼の方でも忠実な兵隊を探していたのである。

「おどれら、わしに付いてこんか。人間を捕る漁師にしてやるど」

兄弟は一も二もなく付き従った。

イエスと取り巻きのゴロツキたちは収税所の前を通り掛かった。そこには通行税を取り立てている徴税人マタイの姿があった。彼を見るなりシモンが唾を吐き捨てた。

「マン糞悪いツラじゃのう！」

徴税人は忌み嫌われていた。彼らはしばしば徴税額を偽って私腹を肥やしており、極道者からさえも見下げられる社会のクズであった。だがイエスは言った。

「マタイ、おどれも来るんじゃ」

シモンとアンドレアスは驚いて互いの顔を見つめ合った。マタイは立ち上がり、イエスと兄弟盃を交わした。その後もイエスは罪人たちを次々と舎弟に加えていった。罪人とは極道専門用語で、ユダヤやくざの仁義を守らぬ者たちの蔑称である。

だが、そうして愚連隊の様相を見せ始めたイエス組に、シモンは苦々しい顔をしていた。「こぎゃな半端モンばかり集めてイエスの兄貴はどぎゃんするつもりじゃろうか」「これ以上、おかしなヤツを集めんで欲しいのう」。自分のことは棚に上げてそんなことを考えていた。

さて、彼らの途上に座頭市の如き二人の盲人やくざが待ち構えていた。彼らはイエスに向かって叫んだ。

「イエスさんよ、憐れじゃ思うなら、わしらを何とかしてくれんかのう」

「な、何じゃ、このドサンピンが！」

たちまちにシモンが声を荒らげて怒鳴った。「またおかしな奴らが近付いてきた！」と彼は警戒したのだ。だが、イエスは舎弟を制して彼らに問うた。

「わしに何して欲しいんじゃ」

「わしらの目ェ、見えるようにしてつかぁさい！」

「わしゃ、ただのやくざじゃ。そぎゃあなことできるいうて、ほんまに思うちょるんか」

「思うちょります！　ヤハウェ大親分の一の子分のイエスさんなら、きっとできる思うちょります！」

何を阿呆なこと言いよるんじゃ、いくらイエスの兄貴でもそぎゃあなこと……とシモンは呆れていたが、イエスが彼らの両目に触れた瞬間に、二人の瞳がパッと開かれたのだ。

彼らは大喜びしてイエスに付き従い、シモンたち舎弟は目を丸くして驚いた。その他にもイエスは水面を歩いたり、死者を蘇らせたりと、異様な光景を彼らに見せつけるのである。やはりイエスは尋常のやくざではないと、シモンは改めて心に刻みつけた。

架神恭介の〈仁義なき解説〉

「盲人の癒やし」はマルコ、マタイ、ルカ、それぞれに記述があり、どれも微妙に違うので、本編はそれらをチャンポンで描いている。シモン（ペトロ）が盲人の接近に対して邪険な態度を示したという描写は聖書にはなく、彼の心情描写も演出であるが、盲人に対してイエス一行が叱り飛ばしたという記述自体はある。叱り飛ばしたのがシモン当人かどうかは分からないが、別の箇所では、イエスに寄ってきた子供連れを弟子たちが叱り飛ばした、という描写もあるので、シモンら弟子たちは寄ってくる者たちに結構そういう邪険な態度を取っていたと思われる。

マタイの加入にシモンが難色を示した描写も聖書には特にない。聖書では徴税人や罪人が一行にいることにファリサイ人らが難癖を付けているが、演出上、そのニュアンスをシモンに肩代わりしてもらった。

図13　ミケランジェロ・メリージ・ダ・カラヴァッジョ、《聖マタイの召命》、1598-1601年頃、ローマ、サン・ルイージ・デイ・フランチェージ教会／右上の窓から射す光が、鑑賞者の視線を自然とイエスの頭部からマタイへと導く。マタイがどの男かには諸説あるが、徴税人なので硬貨を数えている若者ではなかろうか。

図14　ドゥッチョ・ディ・ブオニンセーニャ、《ラザロの蘇生》、1308-11年、フォートワース、キンベル美術館／キリストの数々の奇跡のなかでも、自らも含め、死者を復活させるのが最大の奇跡である。復活したラザロの腐臭におもわず鼻をおさえる人物がいる。

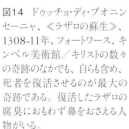

MIRACLE
08
マタイ+ルカ

山上の垂訓と喩え話

満員御礼！　救世主独演会へようこそ

今や雑多なやくざ者たちがイエスの俠気を慕って彼に付き従っていた。イエスは彼らを見ると山へと登り、やくざたちに次々と訓示を垂れ始めた。

「幸いである。仁義に飢え乾いている者たち。おどれらは満ち足りるようになるであろう。幸いである。仁義のゆえに迫害されてきた者たち。やくざ王国はおどれらのものである」

「やくざがおどれの右の頬に平手打ちを加えてきたら、もう一方の頬も向けてやらんかい。右手のエンコを要求してくるなら、左手のエンコもくれてやらんかい」

「仁義をこれ見よがしに見せつけるんは男じゃない。むしろ分からんようにせんといけん。目ざとい大親分は必ずおどれの俠気《おとこぎ》を見ちょる」

「他人からして欲しいことは、人びとにもその通りにしてやらんかい」

イエスの教えを受けたやくざたちは衝撃を受けていた。訓示を垂れるイエスはユダヤ組若頭たる男の威厳に溢れていたからである。

だが、一方でペトロ（シモンの渾名。以下ペトロ）ら舎弟たちは不安気に顔を見合わせていた。

「ど、どう思う、おどれ……？」

「イエス兄貴の言うことじゃ。深遠なるやくざ哲学に違いなかろうが……」

「じゃけえど……。ちと甘いんじゃなかろうか？　わしゃ、やっぱり敵はブチ殺さにゃいけん思うんじゃが」

「あぎゃあなことで生き馬の目を抜くやくざ社会を生き抜けるんかのう」

さて、その後のことである。一人の敵対的やくざがイエスに問答を仕掛けてきたことがあった。

「イエスさんよ、わしゃ何をしたら不死身のやくざになれるんかの。教えてつかぁさいや！」

「大親分を全力で敬愛するんじゃ。それと隣人を愛することじゃ」

隣人とは極道専門用語で「同じ組の者」「身内の者」といった意味である。だが、敵対的やくざはその答えに納得せず、さらに食い下がった。

「ほんなら、わしの隣人いうんは誰のことですかのう」

「ほうか。分からんか。なら聞けい。あるユダヤ組の組員が愚連隊に絡まれ半殺しにされた。そこへ組の大幹部が通り掛かったが、無視して立ち去った。次にサマリア組の若者が通り掛かった」

「なにッ、サマリア組の腐り外道！」

敵対的やくざは、その名を聞くだけで声を荒らげて憤った。サマリア組とはユダヤ組と同じくヤハウェ大親分と親子盃を交わした極道組織であるが、様々な事情からユダヤ組とは反りが合わず、互いに敵対的な関係にあったのである。

「落ち着いて聞けい。サマリア組の若者は半殺しとなった組員を助けて手厚く介抱した。おどれはどっちのやくざが真の隣人じゃと思うんなら」

そう問われた敵対的やくざは「うッ」と声を詰まらせながらも、渋々といった様子で認めたのである。

「グギギ……サマリアの外道じゃ……」

同じ組員を見捨てるなど任侠道の風上にも置けない。サマリア組組員の行いは仁義に適っている。彼とて認めざるを得なかったのだ。
だが、これを聞いてペトロらはやはり驚いていた。まさかイエスの兄貴は、サマリア組の外道とすらつるむ気なのであろうか、と。

架神恭介の〈仁義なき解説〉

「山上の垂訓」と、「善きサマリア人の喩え」を小説化した。垂訓の中にある「あなたたちが人々からして欲しいと思うことはすべて、そのようにあなたたちも彼らにせよ」が有名な「黄金律」である。

イエスが本当に山の上に登って、群衆を相手に偉そうに訓示を垂れたかどうかは怪しく、実際はイエスが折に触れて語ってきた言葉が、文書や口伝伝承で伝わっており、それをマタイやルカが、こういう舞台設定をこしらえて、説教の形で編集したのではないかと考えられている。

サマリア人の喩えは、当時の「隣人」という概念を破壊している。隣人愛とはつまり、「身内には優しく（身内以外には厳しく）」ということだが、その隣人の対象を身内以外のサマリア人にまで拡張することで、隣人愛の概念を根本からひっくり返している。イエスの先鋭的な意見である。

なお、例によってペトロら弟子たちの反応は演出であり、聖書本文には彼らの反応は描かれていない。

図15　フェレンツィ・カーロイ、≪山上の垂訓≫、1896年、ブダペスト、国立美術館／やや印象派的なタッチを用いた、ハンガリーの画家カーロイの作。左端の男たちがジャケットを羽織っていたりと、現代的な文脈に置き換えた野心的な作品。

図16　バルトロメ・エステバン・ムリリョ、≪放蕩息子の帰還≫、1667-70年、ワシントン、ナショナル・ギャラリー／さんざん遊び歩いてきた息子がボロボロになって帰ってきたとき、父が赦してあたたかく迎える喩え話。悔悛すれば赦されるとの意だが、画面右側にはやや不満そうな顔の兄弟がいる。

MIRACLE 09

マルコ+マタイ+ルカ

変容

天界サミットのドレスコードは白！

ペトロは多少心配になっていた。イエスが一廉《ひとかど》のやくざ者であることに間違いはない。それはイエスが全身から放つ凄まじい貫目からも明らかだ。

だが、この人は自分たちが望むような極道ではないのかもしれない……。そんな不安が心中をよぎり始めたのである。

「おう、ペトロよ。おどれはわしのことを何じゃ思うとるんなら」

そんな彼の心中を察したのか、イエスがまさにこんな問いを投げかけてきた。ペトロは己の期待を込めて、その答えを口にした。

「へ、へえ！　わしゃ兄貴のことを……、ユダヤ組の全組員をまとめ上げ、ローマ当局を打ち倒し、わしらやくざに繁栄をもたらす伝説の若頭——、キリストじゃ思うちょります！」

「この馬鹿たれが」

だが、イエスは彼の願いを一蹴してこう言ったのだ。

「わしゃあのう……。　ユダヤ組の親分さん方に殺される運命じゃ」

「あ、兄貴!?　ば、馬鹿なこと、言わんといてつかぁさい！」

「じゃがの。それから三日後に復活する」

「!?」

この人は一体何を言っているのだろう？　もしかしてただのイカレポンチなのではなかろうか？　ペトロはそんな不安に駆られてしまったのだが、事件はその六日後に起きた。

イエスはペトロら若干名の舎弟を連れて山へと登った。すると、突然にイエスの顔が輝き始めたのである。さらにイエスの衣服が純白のアルマーニスーツへと変貌したではないか！

それだけではない。山上に突如として二人のやくざ者が現れたのだ！　その二人はエリヤとモーセ！　むろん舎弟たちは大慌てである。エリヤとモーセと言えば、かつてヤハウェ大親分と共に暴れまわったレジェンド級やくざではないか！

そんな超大物二人とイエスが語り合っている。だが、その親しげな様子ときたら！　まさかイエス兄貴は彼らと五分の兄弟盃を交わしたとでも言うのだろうか？　だとしたら、とんでもない話だ！

目の前の光景に混乱と恐怖を極めたペトロは、上ずった声でイエスに叫んだ。

「あ、兄貴！　こ、こ、ここで、組を三つ旗揚げしやしょう！　あ、兄貴と、モーセ兄さんと、エリヤ兄さんで！」

ペトロにはもはや訳が分からなかったのである。だが、さらに彼らの周りを雲が覆い始めた。そして、威厳ある声が辺りに響き渡った。

「イエスはわしの一の子分。選ばれしやくざ者……」

どこからともなく響いたその声の主がヤハウェ大親分であることを、ペトロたちは何故だか感じとっていた。

そして、怯えきってへたり込み、失禁した。

しかし、次の瞬間には既に雲はなく、大親分の声も聞こえず、エリヤの姿もモーセの姿ももはやそこにはなかったのである。イエスが言った。

「わしが死んでから復活するまで、今見たことは誰にも言うないや」

舎弟たちは困惑しきった顔で互いを見つめ合った。だが、一つ明らかになったこともあった。やはりイエスの兄貴は只者ではない……。

架神恭介の
〈仁義なき解説〉

この時代の「キリスト」は、キリスト教のドグマが成立する前であるため、現代の我々がイメージするものとは異なる。

そもそも「キリスト」はヘブライ語では「マシアーハ（メシア）」、意味は「油を塗られた者」であり、これはヤハウェ（神）が人間に権力を与える際にその者の頭に油を塗ることを指示したことに由来する。要するにここでのペトロは「自分たちユダヤ人を率いて支配国であるローマ帝国を打ち倒す軍事的指導者」としてのキリストをイエスに求めていたと言える（当時の「キリスト」像には「王的メシア（軍事的指導者）」と、「祭司的メシア」があったとされている）。

なのでキリストを「軍事的指導者」と考えるなら、ローマ帝国に刑死させられたイエスはキリストであるはずがない。処刑された後のイエスをそれでもキリストだと言い張るのは相当の無理筋であって、その無理を押し通すためにキリストの概念自体を変化させて、何やら神のようなものへと変えたのである。

図17　ラファエッロ・サンツィオ、《キリストの変容》、1518-20年、ヴァチカン絵画館／ラファエッロの遺作となった大作。上下二部構成をとり、上部でキリストの変容場面を、下半分でラザロの蘇生のエピソードが展開されている。

図18　ロレンツォ・ロット、《変容》、1511年頃、レカナーティ、市立絵画館／ラファエッロの《変容》よりも前に制作された作品。眠りこける使徒たちを下部に配し、上部で変容場面を説明する、ラファエッロ作と似た手法が用いられている。

MIRACLE
10
マルコ+マタイ+
ルカ+ヨハネ

エルサレム入城

聖地か悪の巣か　イエス、神殿を目指す

「ホサンナ！　ホサンナ！」

エルサレムの街へと向かうやくざ一行の姿があった。

ゴロツキどもに取り囲まれ、一行の中央にて子ロバに跨りし男はイエス。全身を黒毛に覆われし子ロバは、黒塗りのベンツを彷彿《ほうふつ》とさせたが、その上に乗るイエスの表情は穏やかであった。

ゴロツキたちは次々と己の衣服を道端に敷き、イエスのために即席のレッドカーペットを用意する。イエスを囲む舎弟たちは、鋭い眼《まなこ》で辺りを睥睨《へいげい》しつつ、「ホサンナ！」「ホサンナ！」と口々に叫び、示威行動を繰り返していた。

果たして、これは何事であろうか。やくざの喧嘩《でいり》であろうか。事実そうであった。一行はユダヤ組の二次団体であるサドカイ組の事務所――、エルサレム神殿へと向かったが、イエスはそこで急に怒号を張り上げたのだ。

「おどりゃ、この糞ばかたれども！　この事務所はまるで強盗の巣じゃないの！」

そう叫び、神殿で商いをしていたテキヤたちに突如として襲いかかると、彼らの商売道具を次々ひっくり返していくのである。エルサレム神殿はヤハウェ大親分への上納金を納付するための場所でもあったから、これは大親分に弓引く行為とも取られかねない。とんでもない蛮行であった。現にサドカイ組のやくざたちは鼻息を荒くしてたちまち道具を手に取って飛び出してきた！

「コン糞ンだらァ、ブチ殺したらッ！」

「待てえ、待つんじゃ！」

だが、激発した若者が、ドスを腰だめに構えてイエスを狙わんとしたその時！　兄貴分と思しきやくざが若者を止めた。

「何するンじゃ兄ィ！　あぎゃあな外道に好き勝手させとってええんか！」

「馬鹿たれ、よう見てみい！」

若者がハッとして場内を見渡し、そして、彼は場の異様な雰囲気に初めて気付いたのである。サドカイ組に属さぬやくざ者たちの多くが、イエスの蛮行に対してこぞって歓呼の声を送っているではないか。若者はごくりと生唾を飲み込んだ。……この数を敵に回して勝てるはずがない。

説明が必要であろう。先に述べた通り、エルサレム神殿はヤハウェ大親分への上納金納付のための事務所でもあった。だが、事務所を管理するサドカイ組は、特殊な貨幣でなければ上納金を受け付けないなどとして、ユダヤやくざたちから両替手数料を巻き上げていたのである。神殿内のテキヤはその特殊な貨幣を扱う両替商や、上納のための現物を売る売人などであって、当然、サドカイ組の息の掛かったやくざたちであったのだ。大親分への上納金自体は仕方がないにせよ、サドカイ組による中間搾取には一般やくざたちも腹に据えかねるものがあって、ゆえにイエスの蛮行に対して彼らは歓呼の声を送ったのである。

だから、今イエスを刺せば、この場にいる者たちがどんな行動に出るか分かったものではない。

兄貴分のやくざが若者の耳元で囁いた。

「……今は堪えるんじゃ。イエスの外道のタマァ、必ず殺《ト》ッたる。じゃが、今はマズい。まずはカヤファ（カイアファ）の親父に相談じゃ！」

ホサンナとは「我らを救い給え」という意味の言葉であるが、この当時には既に意味を失い、祭りの際の掛け声のようなものとなっていたという。「わっしょい」くらいの意味合いだろうか。

さて、後半は有名な「宮潔め」のエピソードだ。「宮潔め」という言葉には、イエスが神殿の聖性を取り戻そうとして、営利活動を行う商人たちを神殿から追い払った、というニュアンスが含まれる。この場合だとイエスは基本的には神殿を良いものと考えていることになる。

しかし、ここでは別の読み方もあって、そもそもイエスには神殿へのリスペクトなどなく、あんなものはただの搾取機関だと考えていた節があるのだ。神聖だと考えていないなら潔めるもクソもない。ユダヤ人だからといって誰も彼も神殿を神聖視していたわけではなく、旧約聖書の時代からアンチ神殿派の者はいたわけで、イエスもそれに連なる人物であった可能性は十分にある。本稿はこちらの読み方を採用した。

図19　ジョット・ディ・ボンドーネ、《エルサレム入城》、1304-06年、パドヴァ、スクロヴェーニ礼拝堂／ジョットと工房による一大連作壁画の一場面。木に登って見物する者、自らの外套を脱いでキリストのために道に敷く者がいて、まだイエスに対する反発が起きていない様子が示されている。

図20　エル・グレコ、《神殿から商人を追い払うキリスト》、1600年頃、ロンドン、ナショナル・ギャラリー／独特の濃密な色彩で、商人たちが神殿から追放されるシーンを描く。身をひねりながら腕を大きく上げるキリストのポーズは、ミケランジェロの《最後の審判》のキリストからとられている。

MIRACLE 11

マルコ+マタイ+ルカ+ヨハネ

最後の晩餐

裏切り者は誰だ！

過越祭が始まり、イエスと十二人の舎弟たちは食卓へと着いた。過越の夜には無酵母パンやジンギスカンなどの特別な食事を摂ることが習わしであった。

先日、イエスがサドカイ組事務所で喧嘩を売ったことから、舎弟たちの間にはピリピリとした緊張感が漂っていた。あの場では群衆を味方に付けられたので無傷で帰れたものの、群衆も皆が皆、味方というわけではない。サドカイ組のシノギにうまく乗せられ、サドカイ組のあこぎな搾取に気付かぬ者たちも当然いる。サドカイ組の方でもイエスを亡き者にせんと策を巡らせているに違いなかった。

だが、舎弟たちが殺気立つ食事の席で、イエスは唐突に立ち上がると、思いもよらぬ行動に出たのである。

「や、やめてつかぁさい、兄貴！」

ペトロが慌てて叫んだ。一体、何が起こったというのか。おお、見よ。イエスがたらいに水を汲み、ペトロの足を洗っているではないか！

「や、やめてつかぁさい！　兄貴に足を洗わせるなんぞ、恐れ多くて……」

「洗うな言うんじゃったら、おどれはわしとはもう縁を切る言うことじゃのう」

と、イエスがそんなことを強い語調で言うので、ペトロは言葉に詰まってしまう。さらにはすっかり混乱して、こんなことまで口走った。

「じゃ、じゃったら兄貴！　つ、ついでにわしの頭も洗ってつかぁさい！　頭皮が痒《かゆ》いんじゃ！」

「い、いや……。そこまではせん。すまんの……。大丈夫、おどれは十分清いけん。じゃけえど、皆が皆、清いわけではないのォ」

そう言って舎弟たちに鋭い眼差しを向けると、舎弟の一人であるイスカリオテのユダが慌てて目を逸らした。

イエスは舎弟たちの足を洗い終えると、食卓に戻って、言うのだった。

「言うとくがの。この中にわしのことを密告《チンコロ》する奴がおる」

「な、な、何を言うとるんじゃ、兄貴！」

ペトロが狼狽《ろうばい》して叫んだ。他の舎弟たちも大同小異である。

「わ、わしは違うど。わしは断じて兄貴を売ったりせんけえの！」

「誰じゃチンコロする外道は！　出てこんかい、兄貴に代わってわしがブチ殺したる！」

彼らは慌てて一斉に自己弁護と犯人探しを始めた。こんなピリピリした状況下で兄貴分から裏切りの疑いをかけられれば、どのようなリンチを受けるか知れたものではない。

だが、イエスは舎弟たちにそれ以上の犯人探しを許さなかった。代わりにパンを引き裂き、彼らに与えながら言った。

「こりゃあの、わしの体じゃ」

さらに盃に酒をなみなみと注ぎ、回し飲みさせてこう言った。

「こりゃ、わしの血じゃ」

だが、舎弟たちにはイエスが何を言おうとしているのか、とんと理解できなかったのである。そして、イエス自身もまた、己のこの発言が将来に思わぬ禍根を残すことになろうとは、知る由もなかったのであった。

前半の洗足描写はヨハネ福音書がベース。その後の展開はマルコとマタイに準拠している。これらを合体させるのは乱暴なのだが、今回は無理を通してみた。

本文では書けなかったが、洗足は本来奴隷の仕事である。それを師であるイエスが行うことで、弟子たちにも「互いの足を洗い合うように」という模範を示した。一種の教訓的行為である。

キリスト教のミサ（聖餐式）において、信者が小さなパンを食べたりワインを飲んだりするのは、この最後の晩餐に由来する。と言っても、パンを体と言い、ワインを血と言ったイエスの発言意図はよく分からない。先に儀式があって（おそらく出発点は信者同士のお食事会）、儀式の権威付けのためにイエスがこういう発言をしたことになったのか、イエスが本当にこういう謎めいた言葉を残したのか、それすらよく分からない。本当に謎なので、この意味を巡って、後世、宗教改革の折などに人々は無益な（としか思えない）争いをすることになる。

図21　レオナルド・ダ・ヴィンチ、≪最後の晩餐≫、1495-98年、ミラノ、サンタ・マリア・デッレ・グラーツィエ教会／ひとりひとりの動きは激しいのに、厳密な遠近法とシンメトリックな構図によって、静かな落ち着きが全体を覆う。壁画に不適合な技法と長年の黴のせいで、剥落が痛々しい。

図22　ヤコポ・ティントレット、≪最後の晩餐≫、1592-94年、ヴェネツィア、サン・ジョルジョ・マッジョーレ教会／ルネサンス的秩序の見本のようなレオナルド作品と比べると、二点消失遠近法による大胆な斜め構図と強い明暗による、本作品のマニエリスム的特徴が際立つ。

MIRACLE
12
マルコ+マタイ+ルカ

ゲツセマネの祈り

憂鬱と睡魔の謎コント

晩餐の後、イエスは舎弟たちを引き連れて、ゲツセマネと呼ばれる園へと向かった。そして、ほとんどの舎弟たちを途中に残して、ペトロとヤコブ、ヨハネだけを連れて先へと進んでいったが、突然、イエスは苦渋の表情を見せて、ひどく思い悩み始めた。

「どしたんなら、兄貴ィ。飯食うとる時から様子がおかしいけえ、わしら、ぶち心配しとるんど」

ペトロが気遣うようにそう尋ねたが、イエスはなおも晴れぬ顔のままだ。

「すまんの。わしも……色々辛うてな。おどれら、ここで少し待っといてくれんか。眠らずに起きとれよ」

そう言い残してイエスは少しだけ先へと進んだが、すぐに倒れ込むように地面にひれ伏すと、その場でぐずぐずと泣き始めたのである。

「おやっさん、おやっさん……。わしゃ、本当は嫌なんじゃ。こぎゃあなことは嫌なんじゃ。堪忍してつかぁさい。堪忍してつかぁさい……。じゃけえど、おやっさんが、それを望んどるんじゃったら……。おやっさんの、ええようにして、つかぁさい」

それは、組長から鉄砲玉になることを命じられ、よくよく因果を含められたチンピラが、しかし、いざ土壇場を迎えんとする直前にびびり上がってしまう、そのような光景であった。やくざといえど人間である。このような苦悩も当然ある。イエスは親分からの苛烈な命令に嘆き苦しみながらも、それでも使命を全うしようとしていた。

だが、イエスが決意を固めてペトロたちの下へと戻ってくると、なんと、この僅かな間に、三人全員がすっかり眠りこけているではないか！

イエスはブチ切れて、手にした木刀を地面へと力任せに叩きつけた。

「おどりゃ！　一時も起きとれんのか、このタコのクソ！　ああ、もう！　なんかショックじゃわい……。わしゃ、またブルーになってきた。おい、おどれら、今度こそ起きとれよ！」

せっかく固めた決意が揺らぎかけたので、イエスは再び舎弟たちから離れて、もう一度嘆き、もう一度決意を固めなおして、もう一度ペトロたちの下へと戻ってきた。すると……、

やっぱり寝ている！

「何考えとるんじゃおどれら！」

逆上したイエスがペトロの襟首を摑み上げるが、すっかり寝ぼけているペトロはなんと答えていいのか分からず、「あ、あうー？」とかよく分からない返事をするばかりである。

「おい、今度こそ起きとれよ！」

そう言って、イエスは三度その場を離れたが、もう全然舎弟たちを信用してなかったので、今度はわずかに十秒ほどの間を置いて帰って見てみると……。あー！　やっぱり寝てる！　全員爆睡！

イエスはもう諦めて、溜め息を漏らしながら言った。

「もうええわい。おどれらは寝とけ。時は来た。わしに引導を渡す奴らが来おったわい」

イエスの剣呑なる言葉に、ようやくペトロたちはハッと目を覚まして背後を振り返ったが……。

そこで彼らが見たのは、手に手に角材を持ち、長ドスをべろりと舐めるユダヤやくざたちの群れであった。

イエスが悩み苦しんでいる一方で弟子たちが爆睡している。このコミカルなシーンはマルコ、マタイ、ルカの三福音書に描かれているが、それぞれで微妙な調整が入っている。

一番最初に書かれた福音書とされるマルコでは、ほぼ上記の通りのコミカルな描写となっている。コミカルというか、マルコの意図としては、ペトロら弟子を批判するためのものであろう。マルコは総じて弟子たちへの当たりが強い。

一方、マタイでは弟子たちが寝ている描写は同じだが、イエスの「決意」が強調されており、イエスがマルコよりも「聖者」寄りに調整されている。

ルカは、マルコの弟子批判があまりにあんまりだと思ったのか、弟子たちは「悲しみ疲れて寝ていた」という設定を加えた。この場面は一般的にも「悲しみ疲れて寝ていた」と理解されているが、これはルカによるフォローの結果である。

普通に読んでいてもまず気付かないと思うが、このように福音書にはそれぞれの個性がある。

図23　アルブレヒト・アルトドルファー、≪ゲッセマネの祈り≫、1518年頃、リンツ近郊（オーストリア）、ザンクト・フローリアン修道院／最初の風景画家のひとりにも数えられるアルトドルファーによる作品。暗い画面と、人物たちの衣服の濃い色彩が、強烈なコントラストを生み出している。

図24　アンドレア・マンテーニャ、≪園での苦痛（ゲッセマネの祈り）≫、1458-60年、ロンドン、ナショナル・ギャラリー／マントヴァの宮廷画家で古典復興の主導者のひとりマンテーニャによる作。義兄弟でもある画家ジョヴァンニ・ベッリーニは本作に触発されて同種の作品を制作している。

MIRACLE 13
マルコ+マタイ+ルカ+ヨハネ

捕縛

逮捕の瞬間、その時ユダは……

絶体絶命！　無数のやくざ軍団に囲まれしイエス一派！

やくざ軍団とペトロら舎弟たちの間に一触即発の空気が流れ、両陣営の睨み合いが火花を散らした。

だが、両者の緊張が高まる中、やくざ軍団の中から、へらへら笑いを浮かべる一人のやくざ者が進み出てきた。

その者の名はユダ。イエスの舎弟の一人であった。そしてユダは無防備にイエスの前へと進むと、唐突に異様な行動に出たのである。

キスだ！

男は突然にイエスの唇を奪ったのだ。何事であろうか？　ホモセックスであろうか。いや、違った。

「あのボンクラがイエスじゃ！」

途端に背後のやくざ軍団が叫んだ。ユダは事前に「自分がキスをする相手がイエスだ」とやくざ軍団に伝達していたのである。

――だが、ユダはなぜイエスを特定するのにキスという危険な手段を取ったのか？　近付いて指をさすだけでも良かったのではないか？　やっぱりホモセックスなのだろうか？　読者諸君は不思議に思うことだろう。筆者にもさっぱり分からない。

「ユダ！　おどれがチンコロしおったんか！　おどれに仁義はないんか！」

ペトロが熱《いき》り立ってドスを引き抜いた。ユダは胸元から三十枚の銀貨を取り出しながら嘲笑《あざわら》った。

「ペトロよォ。わしらやくざはうまいもん食うてよォ、マブいスケ抱くために生まれて来とるんじゃないの！　それもゼニがなけりゃできゃせんので。ゼニのために兄貴を売るのの何が悪いんじゃ！」

「コン腐り外道が！」

ペトロが長ドスを振り下ろして、闇夜に閃光が走った！　ユダは長ドスの一撃をひらりと躱《かわ》したが、その後ろでボンヤリしていたやくざ軍団の一人、マルホスがとばっちりを受けて片耳を削ぎ落とされた。やくざの悲痛な叫びが轟き、血を見て興奮したペトロはやくざ軍団を威嚇すべく滅茶苦茶に刃を振り回した。だが──！

「ペトロ、そこまでじゃ」

そのペトロを羽交い締めにして止めたのは、事もあろうにイエスその人であったのだ。

「あ、兄貴……」

「もう、ええんじゃ。わしがその気なら、ヤハウェのおやっさんに頼んで、七万人超のやくざ軍団をこの場に呼ぶこともできる。じゃが、わしはそうはせん」

「な、なんでじゃ、兄貴……兄貴がヤハウェ親分の一の子分じゃいうところを、アホタレどもに見せてやってつかぁさいや！」

「そうはいかん。全ては……おやっさんの計画なんじゃ」

そう言って、イエスは懐にしまっていた長ドスとカイザーナックルを投げ捨てると、やくざ軍団の前へと進み出て、おとなしく投降した。

その姿を見て、舎弟たちはイエスを見捨てて、蜘蛛《くも》の子を散らすように全員逃げ出した。

小説本文にも書いた通り、ユダがキスをした理由はよく分からない。手元の注解書によると親愛の情を表現する行為だそうだが、こんな修羅場でそんな呑気なことを本当にしたとは思えない。おそらくは脚色であろう。もしくは聖書の記述とは異なり、武装勢力は最初は隠れていて、ユダが普段通りに近付いて油断させたところでワッと現れてイエスを襲ったのだろうか。ユダもキスからスムーズにベアハッグに持ち込むことによりイエスの動きを封じたのかもしれない。

ペトロに耳を落とされたマルホスだが、マルコやマタイではそのまま捨て置かれているが、ルカではイエスが謎パワーにより治療してあげたことになっている。先のゲツセマネもそうだが、ルカはマルコのアレな描写を色々フォローしようと頑張っている。弟子たちがイエスを見捨てて逃げ出す描写も、あんまりだと思ったのかルカは削除している。

図25　ディルク・ファン・バビューレン、《キリストの捕縛》、1616-17年、フィレンツェ、ロベルト・ロンギ美術史研究財団／画面左半分に捕縛されるキリストの姿、そして右半分には、激昂した聖ペトロが、捕縛に来た男（マルホスと呼ばれる）の耳をナイフで切り落とすシーンが描かれている。

図26　アルブレヒト・アルトドルファー、《キリストの捕縛》、1509-16年、リンツ近郊（オーストリア）、ザンクト・フローリアン修道院／連作《キリスト受難伝》のなかの一枚。夜のシーンを描いた本作は、連作のなかでもひときわ暗い。強い明暗の対比はバロックを予告するかのようだ。

MIRACLE 14
マルコ+マタイ+ルカ+ヨハネ

エッケ・ホモ

死刑確定！　ユダヤ人のやまないシュプレヒコール

ローマ警察署長であるピラトゥス（ピラト）の下に、一人の貧相なやくざが引きずられてきたのは、その日の早朝のことであった。警察署の玄関口にて、多数の極道者に取り囲まれたその男は、顔面ボコボコで、目に青痣《あおあざ》を作り、鼻血を垂らしていた。ユダヤ組やくざたちによって顔面パンチなどのリンチを受けたことは明白であった。

ピラトゥスは苦々しい顔で溜め息を吐いた。

「おどりゃ、やくざの糞ども。朝っぱらからなんじゃい。このチンピラが何した言うんなら」

「おゥ、署長さんよォ。悪事を働いとらんモンを警察に突き出す阿呆がおりますかいのう！」

「はあ〜、いたしいのォォ〜〜〜」

ピラトゥスは軽い頭痛を覚えながらもイエスを引き取った。ユダヤやくざ同士のいざこざに彼らローマ警察が巻き込まれるのは馬鹿らしくて仕方がない。仁義だの何だのの争いはやくざ同士で勝手に片をつけてもらいたい。だが、容疑者だと言われて突き出された以上、取り調べせざるを得ない。

警察署内に戻ったピラトゥスは早速イエスへ問い質《ただ》したが……、

「おどれ、自分がユダヤ組の組長じゃ言うて、やくざどもを扇動しとったそうじゃが、ほんまか？　おう？」

「……組長？　それはおどれの言うとることなんか……それとも、誰かがおどれにそう言ったんか……」

「？　？？　おどれは組長じゃないんか？」

「わしが組長じゃいうんは、おどれが言うとることじゃ……」

なんだかよく分からない。だが、やはりこのチンピラがそれ程の重犯罪者とは思えなかった。ピラトゥスは警察署を出て、外のユダヤやくざどもに向かって言った。

「先のイエスいうボンクラじゃがの、わしにはそれほどの悪人には見えん。どうじゃ？　祭りの特赦で一人釈放しちゃるけん、あの自称ユダヤ組組長を解放したらんかい」

「なに寝ぼけたこと言うとるンなら！」

「イエスの外道、釈放するくらいなら、強盗のバラバを釈放せんかい！」

「おおう……」

ピラトゥスは溜め息を吐いて署内に戻った。

「イエスとやら、おどれ、えらい怨み買うとるの。……おう、お前ら。ちと、ええ男にしたれい」

ピラトゥスが部下に命じると、警官たちは鞭を持ってイエスを打ち、平手打ちを喰らわし、茨の冠を頭に載せた。そして、イエスがズタボロの姿になった頃合いを見計らい、ピラトゥスはリンチを止めた。

「悪う思うな。まあ、これで外の阿呆どもも納得するじゃろ」

彼はイエスを再び署外へと引きずっていき、ボロ雑巾と化した彼の姿をやくざどもの前へと晒した。

「おう、目ェ見開いてよう見んかい、この憐れなやくざの姿をよォ！」

だが、ピラトゥスの思惑は見事に外れた。ユダヤやくざたちはイエスの惨状を見てもなお、絶叫を張り上げて、イエスの極刑を望んだのである。その声は段々と膨れ上がっていき、これ以上、イエスを庇えば大暴動へと繋がりかねない雰囲気であった。

「ああ、もういけん。イエスとやら、往生せえ。おどれらやくざはホンマにいたしいのォ！」

架神恭介の〈仁義なき解説〉

「エッケ・ホモ（見よ、この人だ）」の関係でヨハネ福音書をベースに執筆した。マルコ・マタイとヨハネでは鞭打ち描写の箇所も意味合いもまるで異なってくる。マルコ・マタイでは十字架刑が確定した後で、処刑の一環として鞭打ちを行っているが、ヨハネでは処刑が確定する前に鞭打ちを行っている。いわば裁判途中で容疑者に罰を与えているわけで、普通に考えると意味が分からないし、ピラトゥスがどういう意図で「エッケ・ホモ」と言ったのかもよく分からない。懲らしめ、辱めたイエスの姿を見せることで民衆を納得させようとした、という説があるので、本文はそれに従っておいた。

ユダヤ人側がピラトゥスにイエスを突き出した理由や、イエスの罪状、ピラトゥスの思惑、イエスの答弁内容など、この箇所は謎や疑問が多く、福音書に書かれた情報以上の様々なことが想像できるし、議論されている。詳《つまび》らかに解説する紙幅はないので、気になった読者は各自お調べ頂きたい。

図27　ジョアッキーノ・アッセレート、《エッケ・ホモ》、17世紀第2四半期、個人蔵／ジェノヴァ派のバロック画家アッセレートの作で、好評を博したため、同様の作品を何点か作っている。

図28　ヒエロニムス・ボス、《エッケ・ホモ》、1475-80年、フランクフルト、シュテーデル美術館／モラリストのボスは、人間の心の醜さを、デフォルメした顔つきの描写で告発している。左手前に亡霊のような人の姿があるが、これは最初の注文主の一家の姿が、後世削除されたものと思われる。

MIRACLE
15
マルコ+マタイ+
ルカ+ヨハネ

磔刑

サレコウベの丘へ、死の道行き

十字架刑に処されることが決まったイエスは、十字架を担い、ゴルゴタ（髑髏）と呼ばれる場所へと向かっていった。イエスを慕っていたやくざ者たちや、イエスのスケたちが嘆きながら彼の後ろを歩いていたが、イエスは振り向いて彼らに言った。

「泣くな。むしろ、おどれら自身の心配をせんといけん」

ゴルゴタへ着くと、イエスは二人の凶悪犯罪者と並んで十字架へと架けられた。十字架刑が如何なる処刑法であったかは現代に至っても判然としないが、被処刑者の自重により呼吸困難を引き起こさせ、時間をかけて死に至らしめる残酷な処刑法であったと考えられている。

鞭打たれ、十字架上で苦しむ、無惨な姿を晒すイエスを囲んで、敵対するユダヤやくざたちが嘲笑った。

「おゥ、チンピラァ。ええ姿じゃのう！」

「おどれはよ、病人を癒やしたり、盲人の目を開いたり、色々やったそうじゃないの」

「そんならよォ、自分自身も救ってみないや！」

「ヤハウェ大親分さんはおどれを助けに来んのかのォ～、一の子分さんよォ」

「いまもしでよ、十字架から降りられるんならよ、わしゃおどれの子分になったるわい！」

口々にそう言って、ぎゃははは！　と笑うのである。

一方で、ユダヤ組の幹部・組長クラスの者たちは、もう少し深刻な顔付きでピラトゥスに何かを抗議していた。

彼らはイエスの十字架の上に付けられていた罪状書きに不満があったようだ。そこには「ユダヤ組組長」と書かれていた。

「ピラトゥスさんよォ、あの罪状書きは止めてつかいや！」

「まるでわしらの組長が処刑されるみたいでよ、マン糞悪いじゃないの！　『自称ユダヤ組組長』に書き換えてもらえんかのう！」

だが、ピラトゥスは唾を吐き捨てると、やくざどもを一瞥《いちべつ》して言った。

「わしが書いたことじゃ。グダグダ文句つけないや」

そして、午後三時頃——。

「おやっさん《エリ》！　おやっさん《エリ》！　なんでワシを見捨てたんじゃあ《レマ・サバクタニ》！」

イエスはもう一度そう叫び、ガクリと頭を落とした。ついに息絶えたのだ。すると、その時である——！

エルサレム神殿の垂れ幕が上から下まで真っ二つに裂けた。さらには大地震が起こり、岩々が砕け散った！そして……おお見よ！　ゾンビだ！　墓が開き、その地に眠っていたレジェンド級やくざどもがゾンビと化して起き上がったのだ！　後の話となるが、これらのゾンビどもは墓からさまよい出てエルサレムへと入り、数々のゾンビ目撃談として語られることとなる。

イエスの死に伴う様々な怪奇現象を直に目撃したことにより、ローマ警察の警察官たちは恐怖し、呟いた。

「ほ、ほ、ほんまに……イエスはユダヤ組の若頭じゃった！」

一方、イエスの死を遠くから見ていた女たちがいた。マグダラの女やくざマリヤ、イエスの母であるマリヤ、謎の女やくざサロメなどである。

今回の描写は四福音書のチャンポンである。意外に思われるだろうが、イエスが自分で十字架を背負ってゴルゴタへ向かった描写はヨハネ福音書にしかない。マルコ、マタイ、ルカではたまたま通りがかった「キュレネ人のシモン」なる人物に担がせたのである。われわれがイメージするゴルゴタへ向かうイエスの苦しみも、実はその何割かは通りがかりのシモンさんの苦しみである。

イエスの処刑前後のエピソードは福音書によって細部が色々と異なっていて、「ロンギヌスの槍」で有名な、イエスの死体の脇腹を槍で突く話（槍で突いてイエスを殺したわけではない）もヨハネにしか出てこない。

一方、ゾンビ騒動に関してはマタイにしか描かれておらず、しかもわずか2センテンス程の短さで、この伏線が後で回収されたりもせず、よく分からない。当時の民間伝承と関連付けた創作かと考えられるが、マタイがその場のノリと勢いで話を盛っただけかもしれない。

図29　ジョヴァンニ・ドナート・ダ・モントルファーノ、《磔刑》、1495年、ミラノ、サンタ・マリア・デッレ・グラーツィエ教会／レオナルドの《最後の晩餐》の真向かいの壁面に描かれている大画面フレスコ。まさにレオナルドが着手したその年に、先に本作品が完成した。

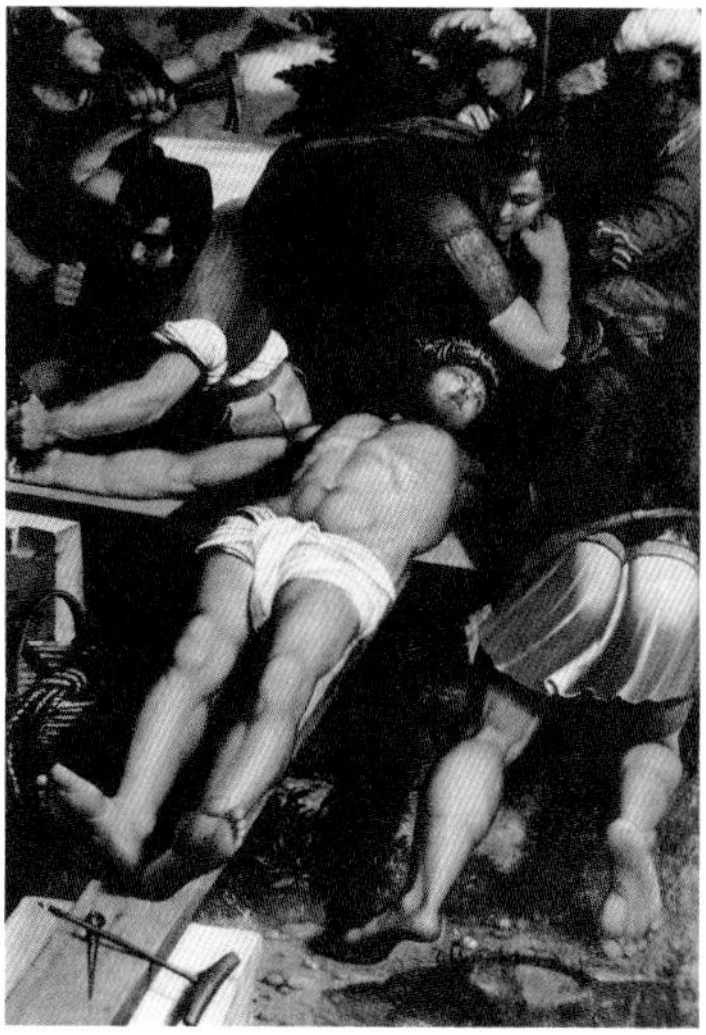

図30　カッリスト・ピアッツァ・ダ・ローディ、《キリストの釘打ち》、1538年、ローディ、サンタ・マリア・インコロナータ教会／画面右上にはターバンを巻いた男たちがいる。これは、本作が描かれた当時、ビザンチンが滅亡の危機に瀕しており、キリスト教世界にとってイスラム教が最大の脅威だったことによる。

MIRACLE 16
マルコ+マタイ+ルカ+ヨハネ

死と復活

消えたイエス、その真相を追え

十字架上で果てたイエスの遺体は取り下ろされ、イエスの母、マリヤへと下げ渡された。名のあるやくざであり、イエスの隠れ舎弟でもあったアリマタヤ出身の極道者ヨセフがピラトゥスと交渉してくれたのだ。

老いた母は、息子の遺体を掻き抱くと、その変わり果てた姿に涙を落としながら嘆いた。

出産前、ガブリエルからやがて生まれてくる息子の話を聞いた時は、この子は大物になるのではと期待したものだった。それがまさか、こんな惨めな結末を迎えることになろうとは。

「いーくん、いーくん。あたしが、あたしが悪かったんよ。ガブリエルさんがああ言うとったけえ、強う止めれんかったんよ。でも、いーくんの頭がおかしゅうなって、こぎゃあなことを始めた時に、もっと早う止めちょれば……。ごめんね、ごめんね……いーくん……」

だが、母の隣でイエスの遺骸を見下ろしていたイエスの弟、ヤコブの反応は冷たかった。彼はカーッと唸り、ペーッと唾を吐き捨てながら言った。

「おかんは悪うない！　全部いー兄の自業自得じゃ。ファリサイ組じゃのサドカイ組じゃの、考えなしに喧嘩売りよってのう！　コン糞ばかたれが。わしらまで睨まれたら、つまらんじゃろうが。糞疫病神め」

そう言って再び唾を吐き捨てた。

「マン糞悪いのう！　酒でも飲みに行くか！」

そう言ってヤコブはふらふらとどこかへ行ってしまったが、母であるマリヤは亡き息子への情に駆られて泣き続けていた。ヨセフはマリヤを宥め、イエスの亡骸から引き離すと、亜麻布で亡骸を包み、墓室へと納めた。

後日――。

安息日（全やくざ定休デー）を挟んで、マリヤは二人の女やくざ――すなわちマグダラの女やくざマリヤと謎の女やくざサロメ――を連れて、早朝からイエスの墓参りへと向かった。だが、彼女たちはそこで生じた異変に気付いた。

「あれ？」

「石が動いちょりますね？」

イエスの死体は岩を穿《うが》った洞窟状の墓に安置されていたのだが、その入口を閉めていた巨石が動いていたのだ。

「誰か先に墓参りに来たんかの？」

そう言って小首を傾げながら墓室へと踏み込んだ三人。だが、そこで彼女たちを待っていたのは驚愕の光景であった！

イエスの亡骸が消えていた！　代わりに白いロングコートを着た超自然的やくざの姿があったのだ！

超自然的やくざは女たちを見ると、厳かに語った。

「驚かんでもええ。イエスはここには既におらん。彼は起こされたんじゃ。おどれらは、むしろ行って舎弟たちに伝えるんじゃ。イエスは先にガリラヤに行った、とな」

だが、女たちはそんな言葉など聞いちゃいなかった。彼女たちは一斉に叫び声を上げた！

「ぎゃ、ぎゃ！　ぎゃあアァアーッツ!!」

「ぴ、ぴぎィイイイいい！」

「ぺぎゃッ、ぱぎゃあッッあああ！」

動転し、狂乱し、正気を失った彼女たちは、訳の分からぬ悲鳴を上げて墓室から飛び出していった。死体が消えたこと……超自然的やくざ……。その異様な情景が彼女たちから理性を奪い去り、恐怖と混乱のドン底へと突き落としたのだった。

彼女たちは家に帰り、布団にくるまって震えた。そして、その時の光景を誰にもひとことも言わなかった。恐ろしかったからである。

架神恭介の〈仁義なき解説〉

ピエタとは、聖母子像のうち、死んで十字架から降ろされたキリストを膝の上に抱く母マリヤの彫刻や絵のことを指す……らしい。四福音書には出てこないシーンである。後世の人達が想像して創作したのだろうか。ゆえに、本作でも筆者が想像して小説化するしかなかった。母であるマリヤは聖母マリヤなどと呼ばれているが、四福音書には活躍のシーンは大して描かれていない。イエスの気が狂ったと思って家族総出で連れ戻しに来た話が一番有名なので、その心情をベースに肉親の愛情を加えて書いてみた。弟ヤコブの反応はやや演出過剰気味である。

後半のホラーじみた展開は筆者の悪ふざけと思われそうだが、これはマルコ福音書をベースにしており、マルコでは本当に〈誰にもひとことも言わなかった。恐ろしかったからである〉で終わっている。イエス復活の感激や感動よりも、超自然現象に触れた恐怖の方が先立つというリアリティはマルコの描写の中でも白眉と言えよう。

図31　アンドレア・ディ・バルトロ、《キリストの復活》、1400年前後、ボルティモア、ウォルターズ美術館／もともと多翼祭壇画を構成していたパネルの一枚。手にしている旗は、白地に赤い十字が描かれている。これは聖書に一切の記述はないが、キリストの復活と栄光のシンボルとなった。

図32　アルブレヒト・アルトドルファー、《キリストの復活》、1516年、ウィーン、美術史美術館／すでに本書で何度か登場したアルトドルファーだが、暗い風景描写から、濃密な色彩による人物像を浮かび上がらせるその幻想的な手法は、彼を含む「ナザレ派」の特徴と言って良い。

MIRACLE 17
ルカ+ヨハネ

昇天

さよなら一発逆転ホームラン

二人のやくざ者がエルサレムから村へと向かって議論をしながら歩いていた。この二人はイエスの舎弟であった。そこへ、フードを目深に被った一人のやくざ者が近付いてきて、彼らに尋ねた。

「おう、お前さんら、何の話をしちょるんかの」

「なんじゃ、おどれ、知らんのか」

舎弟の一人が陰鬱な顔で答えた。

「イエス兄貴のことじゃ。わしらはのう、兄貴こそが、この地にやくざ王国を建国する思うて、兄弟盃交わさせてもろうたんじゃがの。先日、腐り外道どもの手に掛かって十字架で殺《バラ》されてしもうたんじゃ」

「ほうほう」

「じゃがのう。問題はそれからよ」

もう一人の舎弟が言葉を継いだ。

「それからよう、おかしな話が出回ってな。イエス兄貴のおふくろさんたちがの、墓参りに行ったら、兄貴の死体が消えとった言うんじゃ。かわいそうに、おふくろさんたちは正気を失ってしもうてロクに言葉も喋れんのじゃ。じゃがの、実際に墓に行ってみると確かに遺体がない」

「じゃいうて、死んだやくざが蘇るいうて、そぎゃあなことがあるかいのう?」

「兄さん方、そのイエス言うんは、もしかして……」

そう言って、やくざ男はゆるりとフードを取り外した。

「もしかして、こぎゃあな顔だったんじゃあ、ありやせんか？」

「ふぎゃあァッ！」

彼らは慌ててエルサレムに駆け戻り、舎弟たちの事務所へと転がり込んだ。

「た、大変じゃ！　兄貴が、兄貴が化けて出てきた！　オバケじゃ！」

「お、おい！」

その場の舎弟たちが真っ青な顔で彼らの背後を指差した。恐る恐る背後を振り向くと……イエスがいた！

「うぎゃああッ！」

「おう、騒ぐない。やかましいわ」

イエスは両手両足、脇腹に穿たれた穴を皆に見せつけた。これらは処刑の際に付けられた傷であった。

「ほれ、穴に指入れてもええど。な？　ちゃんと体あるじゃろが、わしゃオバケじゃないわい」

「で、でも、オバケじゃのうても、ゾンビかもしれん！」

「あー、もう！」と言いながらイエスは焼き魚をガジガジと齧った。

「ゾンビじゃったら脳みそか人肉を食うもんじゃろうが」

「じゃ、じゃったら……！　ほんまに、ほんまに兄貴なんか！」

「兄貴、生きとったんか！」

ようやくイエスの実在を認めた舎弟たちは、ぼろぼろと涙をこぼしながらイエスを取り囲んだ。

「兄貴、一体何が起こっとるんじゃ。死んだ思うて、わしら悲しかったんど」

「すまんのう……じゃが、全てはおやっさんの計画じゃ」

「ヤハウェ大親分の……？」

「おおっと」

イエスがハッと何かに気付いて外へと飛び出した。

「すまんの、みんな！　わしゃもう行かにゃならん！　最後にあれやるど。おう、仁義！」

イエスが両拳を天に突き上げた。

「じ、仁義！」

舎弟たちも慌てて拳を振り上げた。

イエスは拳を振り上げた姿のまま、するすると天へと昇っていき、それから二度と姿を見せることはなかった。

架神恭介の〈仁義なき解説〉

ルカとヨハネのチャンポンである。謎の旅人の正体がイエスだった、というくだりはルカ。小説ではついウッカリ遊んでしまったが、まあ、ルカの方もニュアンスはだいたい似たようなものである。焼き魚のエピソードもルカ。穴に指を突っ込むエピソードはヨハネ。昇天もルカである。実は四福音書で昇天まで書かれているのはルカだけである（マルコも後代の付記では描かれているが）。マタイもヨハネも、イエスが復活して現れるのはいいけど、そのまま話が終わっている。同じルカによる使徒行伝にも昇天の記述があるので、今のわれわれは新約聖書を順番に通読すれば、「ああ、最後は空に消えてったんだな」と分かるが、当時はマタイやヨハネを単品で読んでいたはずである。「イエスはそれからどうなったんだ？」と読者は不思議に思わなかったのだろうか。

図33　ガローファロ、《キリストの昇天》、1510-20年、ローマ、国立古代美術館／本名をベンヴェヌート・ティージというガローファロは、伝統的に金属的な肌の光沢を特徴とするフェッラーラ派の出身。妙に青ざめた人体表現に画家の個性が発揮されている。

図34　ハンス・スッス・フォン・カルムバッハ、《キリストの昇天》、1513年、ニューヨーク、メトロポリタン美術館／昇天しつつあるキリストの足先だけが見えている絵は珍しい。ちなみに、聖母マリアも死後に昇天するが、自力では上がれないため天使が持ち上げる。これを「被昇天」と呼んでキリストのそれと区別する。

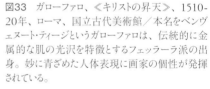

ステファノ 石で打ち殺された最初の殉教者

当時、ユダヤにはサンヘドリンと呼ばれるやくざ機関が存在していた。これはユダヤやくざによる最高自治機関であり、最高法院とも呼ばれていた。そして、そこに今、一人のやくざが引き立てられ、一帯の顔役である大物たちの前で苛烈な審問を受けていたのである。イエスの死と復活から早五年ほどが経っていた……。

「チンピラァ、おどれはよ、こう言うとったそうじゃないの。ナザレのイエスじゃいうボンクラがサドカイ組の事務所（エルサレム神殿）を打ち壊すとかよォ……。知っちょろうが、サドカイ組の事務所はヤハウェ大親分の別荘でもあるんじゃぞ。ヤハウェ大親分に楯突くなぞ、わしゃ恐ろしゅうて信じられんのじゃが、おどれ、ほんまに言うとったんか？」

だが、そのチンピラ――イエス亡き後のナザレ組（後のキリスト組）で新幹部に取り立てられたばかりのステファノというやくざであったが――、彼は怖じ気を見せず、怒鳴るように叫び返した。

「なァーにが別荘じゃ！　ただのおどれらの事務所じゃないの！　ヤハウェ大親分がよォ、おどれら三下の作った事務所に立ち寄るわけなかろうが！　ええか、おどれら糞はのう、これまでも仁義に適った極道者が現れたら難癖付けよって殺してきおった！　今回はの、ヤハウェ大親分の一の子分、イエスの親分をおどれらは殺しよったんじゃ！」

「何言うとるンなら、糞餓鬼ィ」

「わしにゃ見えるんじゃ！　ヤハウェ大親分の隣にイエス親分が立っとる姿がのう！」

「糞ンダラッ、もう我慢ならん！」

取り囲んでいたやくざたちは一斉に胸元からチャカ（石）を取り出し、ステファノに投げつけた。

「おやっさん、おやっさん、この阿呆ども許してやってつかぁさいやァ！」

血みどろの姿で絶叫を上げて、彼は息絶えた。

だが、やくざたちの怒りは収まらなかった。「この際じゃ、ナザレ組も叩き潰しちゃれ！」彼らは息巻いて手に手に道具を持ち、ナザレ組の事務所へと押し寄せた。これに慌てたのが、イエス亡き後、ナザレ組を立ち上げていた俠客、ペトロである。

「ス、ス、ステファノのアホンダラ、な、なんちゅうことしくさりよったんじゃ！」

「親父、どないするんなら！　馬鹿たれどもが道具もって仰山《ぎょうさん》押しかけてきよるど」

「は、はわわ……」

「親父ィ、覚悟決めてつかい！　親父がやるんならわしらもやっちゃる！　全面戦争じゃ！」

ペトロはしばし悩んだ後、意を決して部下のやくざどもに指示を飛ばした。

「ぜ、全員追放じゃ……！」

「は？」

部下たちが一斉にきょとんとした顔を見せた。

「ボサッとするない。今すぐステファノの息の掛かった外道どもを全員追放するんじゃ！　わ、わしらには関係ない！」

「な、何言うとるンなら親父ィ！　あいつら見捨てるいうんか！」

「あ、阿呆！　組を守るのが第一じゃ！」

　こうしてナザレ組はペトロの冷徹な采配と、その後に、押し寄せてきた軍勢を必死に宥めたことで九死に一生を得たのであった。

架神恭介の〈仁義なき解説〉

　ステファノはキリスト教における初めての殉教者である。キリスト教というと初期の主だった者たちは大抵迫害を受けて無惨な死を遂げたイメージがあるが、実はペトロもパウロも正典には殉教の描写はない。

　ステファノの一件は初期キリスト教を考える上で多大な示唆を含んでいる。というのは、イエスは生前、おそらく神殿の権威を否定していたのだが（六〇頁の「宮潔め」の解説参照）、ステファノも神殿を否定していた。一方でペトロたちは「長いものには巻かれろ」なのか、どうも神殿に足繁く通っていたようである。

　ここから、神殿という大勢力に対して、キリスト教内部では態度を異とする二つの派閥があったとする説がある。小説後半の展開は、この説に沿って、ペトロ派が反神殿派を追い出して生きながらえた、という筋で描いた。実際の使徒行伝には一行で端的に描かれているだけなので、本当は何があったのかは想像するしかない。

図35　アダム・エルスハイマー、《聖ステファノの殉教》、1603年頃、エディンバラ、スコットランド国立美術館／最初の殉教者とされる聖ステファノの刑死場面。皆で石を投げる集団執行刑は、誰がとどめを刺したかわからないため、本来は女性や老人を処刑するためのもの。つまりキリスト教徒への侮辱の意もあった。

図36　ジョット・ディ・ボンドーネ、《聖ステファノ》、1320-25年、フィレンツェ、ホーン美術館／処刑法によって石は聖ステファノのアトリビュート（持物）となったが、ジョットの描くそれは、まるで柔らかい繭のようだ。

ペトロ 初代ローマ教皇の黒歴史

「はぁ……」

ナザレ組事務所の片隅で、若いやくざが忌々しげにチラ見した。ナザレ組の組長、ペトロを。組長は「がははは！」と笑って事務所内にふんぞり返り、太った男と何かを話している。

「おう、どしたんなら。牛にションベン引っ掛けられたような面してよォ」

バルナバと呼ばれるやくざが声を掛けてきた。バルナバは彼の従兄であった。若者は渋面を作って吐き捨てた。

「……気に食わんのじゃ。ペトロの小父貴《おじき》がよ。小父貴は土壇場でイエスの親分を見捨てて逃げたじゃないの。それがよう、いつの間にやら、親分の意志を継ぐんじゃ言うて、組をおっ立てよってよォ。先日も糞びりおって兄弟を追放したのに、なしてあぎゃあに威張り腐っとるンなら」

「……」

「しかもよ、生前、イエスの親分から、やくざ王国を管理する鍵を与えられたっちゅうて言ようるが、そぎゃあなこと、ペトロ小父貴以外、誰も聞いちょらんいう話じゃないの」

やくざ王国を管理する鍵、とは、要はナザレ組との盃を与える権利、さらには破門状を出す権利といったところである。

「じゃのによ、ペトロ小父貴の子分連中がよォ、ほんまのことのように言いふらしよる。……放っちょいたら、そういうことじゃいうて、子々孫々まで思われるんじゃなかろうかの！」

「まあ……昔は色々あったかもしれんがのう」

中庸を旨とするバルナバは従弟の憤激を穏やかに宥め始めた。

「ペトロの兄貴もあれはあれでようやっとるんじゃけえ。入院中の組のモンを見舞ってやったり、葬式に行ってやったり、のう。聞いとろうが。兄貴が葬式行ったらよ、仏さんが感激して生き返ったいう話もあろうが」

「小父貴の大ボラと違うんかのう！」

「最近ではよ、外国人のやくざも組に入れてよ、組織の拡張も図っとるし、ヘロデ組に捕らえられた時も単身逃げ出してきたし、大したタマじゃないのよ」

若いやくざは苦虫を嚙み潰したような顔で唸った。確かにバルナバの言うことにも一理はある。だが彼は、ペトロと談笑しているもう一人の太った男を見て呟いた。

「気に食わん言ゃあ、あいつも気に食わん。イエス親分の実弟じゃ言うとるがよ。あのヤコブの外道、生前は親分のこと、キチガイ扱いしとってよ。それが組が大きゅうなったら急に擦り寄ってきおって。ペトロの小父貴も甘い顔しとるがよ。ありゃあ、組を乗っ取ろういう腹と違うんかのう！」

若いやくざは苛立ちを隠し切れずに拳でドシンと机を叩いた。周りのやくざたちがハッとして彼の方を見たので、若いやくざはバツの悪そうな顔をして俯いた。だが、彼は心中に熱い決意を固めていたのだ。

「ペトロ小父貴のせいでおかしな話が出回らんうちに……。わしが、イエス親分の生前の話をまとめにゃいけん。それこそわしの使命じゃ」

この若いやくざの名をマルコと言った。後世、彼の書いたイエス伝記は「マルコによる福音書」として知られることとなる。

概ね創作である。ペトロに対するマルコの態度、ヤコブの乗っ取り計画なども、「聖書から解釈できる可能性の一つ」に過ぎない。総じてこの辺りは聖書自体に情報が少なすぎる。

マルコ福音書がイエスの実像をもっとも正確に伝えている、というわけでもない。ただ、次のようなことは言えるだろう。ペトロがイエスから「天の王国の鍵」を受け取ったという話はマタイにしか出てこない。そして、マタイは、おそらくマルコ福音書を読んだ後で書かれている。マルコでは同箇所でペトロはむしろイエスから叱られている。

おそらくマタイはペトロをリスペクトしており、マルコの「イエスがペトロを叱った」記述に納得できず、「天の王国の鍵を授与した」という（おそらく当時出回っていた）エピソードに書き換えたのだろう。だからといってネタ元のマルコの方が史実に正確かと言えばそうとも限るまいが、マルコにとって、このエピソードは真実ではなかったのだろう。

図37　アンニーバレ・カラッチ、≪Domine Quo Vadis?（主よ、どこに行かれるのです）≫、1601-02年、ロンドン、ナショナル・ギャラリー／迫害から逃れようとローマを後にするペテロの前に現れたキリスト。ペテロは自分の弱さを恥じて引き返し、ローマで殉教する。バロック期のローマ画壇を支配したカラッチ一族の作品。

図38　ジョルジュ・ド・ラ・トゥール、≪聖ペテロの否認（ペテロの悔悛）≫、1645年頃、クリーヴランド美術館／イエスの仲間かと問われて、恐れをなしたペテロは否定する。「鶏が鳴く前にお前は三度否定するだろう」との師の言葉通りになったことを、深く後悔して嘆いている場面。点光源が演劇性を強めている。

パウロ

イエスと夢で会いましょう

「ギヒッ、ギヒヒーッ！　殺す、殺すーッ！　ナザレ組の外道ども、男も女も一人残らず殺しちゃるけんのォーッ！　ギヒヒーッ！」

目を血走らせたやくざ者が、ドスを空中で滅多矢鱈に振り回しながら馬を走らせていた。彼の背後には、やはり馬に乗ったやくざ者たちの姿があった。

先頭をひた走る男の名をサウロと言った。彼はユダヤ組の中でも武闘派で知られていた。ナザレ組のステファノが石で打たれて犬死にした際は手を打って大喜びし、そして今は追放されたステファノ一派をさらに追撃せんと、やくざ軍団を率いて走っていたのだ。

「サウロの兄ィ、完全にイカレとるのォ〜ッ！」

「クスリのやり過ぎかのォ〜ッ！」

後ろを追う舎弟たちは、堂々と兄貴分を揶揄《やゆ》するが、サウロの耳には届かず、彼は上機嫌で刃物を振り回し続けるばかりである。ところが……！

「あギャーッ⁉」

そのサウロが絶叫を上げて突如馬上から転落した！　何事であろうか。襲撃か？　いや、違った。サウロは無事だった。彼はすぐにバッと跳ね起きると、大声で喚き叫んだ。

「イ、イエスさんじゃあ！　わしゃあ、今、イエスさんと兄弟盃を交わしたんじゃあ！」

「⁉」

「な、何言うとるんなら！」

仲間たちの混乱も無理はない。イエスといえば、まさに今、彼らが襲撃せんとしていたナザレ組の永久名誉組長であり、しかも、イエスはずっと前に死んでいるのだ。敵と盃を交わすのも、死人と盃を交わしたというのも、さっぱり意味が分からない。

サウロが両目を押さえて叫んだ。

「ううおぉぉおッ！　め、目が見えん！　なんじゃこりゃあ⁉」

「ダメじゃ。完全にクルクルパーじゃ」

「クスリが脳髄まで回ったんじゃ」

流石に見捨てるわけにもいかず、舎弟たちは彼をダマスコスまで連れて行った。ところが、だ！

数ヶ月後――。

エルサレムのナザレ組事務所にサウロの姿があった。バルナバに連れられた彼は、ペトロら幹部連中を前に呵々大笑しながら語った。

「いやァ～～、あン時はほんまに驚いたの～ッ。アナニアの兄弟がわしに両手を置いたら、目から鱗のようなものがポロリと落ちて目が見えるようになってのォ。こりゃすごい、イエスの兄貴はやっぱり本物じゃ思うてな。イエス兄貴から直々に兄弟盃も受けたことじゃし、わしも一念発起してナザレ組で頑張ろう思うちょるんよ。よろしゅうな、ペトロの兄弟！　ガハハハハ！」

ペトロたちは困惑の表情でサウロを見た。先日まで自分たちを殺そうと付け狙っていた奴が一体何を言い出したのか。バルナバの紹介ゆえ邪険にはできぬが、彼らの表情には「迷惑」の二文字がありありと浮かんでいた。

高笑いし続けるサウロを見て、マルコは深い溜め息を漏らした。

「まァ〜〜た、おかしなヤツが来おったわい。この組は一体これからどうなっていくんじゃろうかのぉ……」

このサウロ。後にパウロという名で知られることになる男である。

架神恭介の〈仁義なき解説〉

多少脚色はあるが、まあパウロというのは概ねこういうキャラクターである。

この小説は使徒行伝に書かれた有名なエピソードに基づいている。キリスト教徒の迫害に向かったパウロが、途中でイエスの声を聞いて失明し、キリスト教徒のアナニアという者に癒され、目から鱗のようなものが落ちて視力が回復する。それをきっかけにキリスト教徒に転向するという話だ。「目から鱗が落ちる」の由来である。パウロの書簡から察するに、どうもパウロは目に持病を抱えていたらしい。

パウロはキリスト教徒となった後、精力的に信者を獲得し、また各地の教会から本部への上納金を集めて回る仕事に従事したようだ。この集金業務に関しては詳しい記述がないが、書簡を見るに大分苦労したようである。

彼の書簡が正典に数多く含まれたため、パウロはキリスト教ではビッグネームとなっているが、本人の人間性に関しては各自書簡を読んで確認されたし。

図39　パルミジャニーノ、《聖パウロの回心》、1527-28年、ウィーン、美術史美術館／マニエリスムの旗手ならではの大胆な構図と激しい動き。不気味な色の空も、彼の作品にいつも不安感や幻想性を与えている。

図40　ルカ・ディ・トメ、《聖パウロの斬首》、1370年頃、エステルゴム（ハンガリー）、キリスト教美術館／バッサリと斬られた首から、赤い鮮血がほとばしる。シエナ派の画家トメによる本作も、もともとは祭壇画を構成するパネルの一枚だった。

エピローグ

その後の使徒たち

キリスト教というと、魔女狩りやら異端審問やら宗教改革やらで揺れた後世はともかく、その初期は一致団結して迫害に耐え忍んだイメージがあるかもしれないが、そこは初期だろうが何だろうが人間の営みであるから、そう簡単な話ではない。

本編でもステファノ一派との決裂や、ペトロ、パウロに対する反感などが描かれている通り、組織的な対立から個人的な対立まで色々とあったことが聖書の節々から垣間見えてくる。そもそもユダによるイエスへの裏切りからして内輪揉めであるのだし。

さて、この後の各人の辿った道についても簡単に触れておこう。

まず、イエスを裏切ったユダだが、マタイ福音書では、自責の念から首を吊って死んだとされている。一方で、使徒行伝では飛び降り自殺（墜落死？）したと書かれている。どちらがどうなのか、よく分からない。

他の者たちに関しては記述量がまちまちすぎるのだが、使徒ヨハネの兄弟ヤコブ（大ヤコブ）に関しては、ヘロデ・アグリッパにより処刑されたと使徒行伝にある。ヘロデの係累、つまりユダヤ教側からの迫害だ。

ペトロはキリスト教の中心人物として本家を切り盛りしていたが、何時の間にやらイエスの弟ヤコブの方が上席になっていたようである。この立場の変化が穏当な移譲なのか暗闘の結果なのかは分からない。ペトロの最期は正典には描かれていないが、ネロ帝の迫害により十字架にかけられたとされている。こちらはローマ側による迫害。

そのイエスの弟ヤコブの方だが、彼はユダヤ教側の権力により殉教している。パウロはユダヤ教側からの激しい攻撃に遭い、ローマ兵に保護（逮捕）された。その後、裁判のためにローマへと向かい、そこで二年間、緩やかな軟禁生活を送ったと使徒行伝に書かれている。最期がどうなったのかは分からない。ネロにより斬首となったという記述もあるが、もともと持病があったたし、裁判が長引くうちに病死したのではないかとも思う。

最後にキリスト教という組織のその後についても少しだけ触れよう。

エルサレムのキリスト教本家は、先に書いた通り、ステファノに連なる者たちを追放した（逃した？）わけだが、これが意外な結果をもたらすことになる。というのは、その後に発生したユダヤ戦争の煽りを受けて、エルサレムのキリスト教本家は大打撃を負ってしまうのだ。

ユダヤ戦争とは、ユダヤ人の民族感情の高まりとローマ帝国への反感の結果として発生した、対ローマ戦争である。エルサレムのキリスト教本家はこの時に戦火を逃れるべくエルサレムから脱出した。今までの彼らはユダヤ教ともなあなあで仲良くやってきており、「ユダヤ教ナザレ派」といった具合に、「ユダヤ教の中のおかしな一派」くらいの存在であったのだが、この敵前逃亡をきっかけに鮮明にユダヤ教と袂《たもと》を分かった。ここで「キリスト教」となった感じである。

だが、このすったもんだの影響で、彼らが再びエルサレムに帰ってきた頃にはすっかり主導権を失っており、本家は歴史の中に埋没していく。逆に、あの時に追放された者たちの方が勢力を得てメインストリームとなっていくのである。

追い払われた者たちはしぶとく生き残り、逆に居座った者たちが消えていく。皮肉な話である。

ユダヤ教とローマ帝国から迫害を受けていたキリスト教徒であるが、その後、コンスタンティヌス帝によりキリスト教が国家公認宗教となり、さらには国家宗教となって権力を手に入れると、今度は迫害をする側へと転身する。こちらもまた皮肉な話と言えよう。

第二部

仁義なき
新約聖書の美術

聖書とはなにか

自宅に聖書がある方はそう多くないかもしれないが、聖書が部屋に置いてあるホテルはかなり多いので、宿泊のさいに机の引き出しを開けてみてほしい。けっこうなページ数があり、しかも小さな字がぎっしりと詰まっているはずだ。それほどの文章量が、かつては何世紀にもわたって口承で伝えられていたというのだから驚きだ。

聖書は、旧約聖書と新約聖書の二部構成である。よく「訳」の字を誤って付けている例を見るが、正しくは「契約」の「約」である。つまり旧約とは神と人類の間でかわされた古い契約のことであり、新約はあらたな契約を意味している。前者がユダヤ民族によって編まれた聖典で、後者はキリスト教によって作られたものだ。

キリスト教はイエスが地上に現れて、自らを犠牲にすることで人類の原罪を贖ったとしているが、ユダヤ教はイエスをキリスト（メシア／救世主）とは認めていない。そのため、キリスト教徒は旧約と新約の双方を読むが、ユダヤ教徒は新約を聖典とはしていない。彼らユダヤ教徒が自分たちの聖典を「古い契約」と呼ぶわけもなく、これはあくまでもキリスト教徒からみた呼び方だ。ユダヤ教徒たちは、「トーラー（モーセ五書）」「ネビイーム（預言者の書）」「ケトゥビーム（諸書）」の三部からなる聖典（旧約聖書とほぼ同じもの）を、三部の頭文字TNKをとって、「タナッハ」と呼んでいる。

旧約と新約

旧約聖書は、壮大な天地創造の物語から始まる。神が世界を創り、動物や人類を創る。男から女を創るが、彼らが言いつけを破ったために楽園から追放する。彼らの息子たちが最初の殺人をおかし、その後人類は増えていくが、失敗作だと感じた神は一家族だけを残して全人類を抹殺する。この他にもドラマティックなエピソードで溢れている『創世記』は、いわゆる「神話的記述部分」にあたり、聖書のなかでも飛びぬけて面白い。その後は、ユダヤ民族の歴史を書き連ねた「歴史的記述部分」が大半を占め、愛の詩や教訓などを集めた「文学的記述部分」が続く。

一方の新約聖書は、四つの福音書という、ひとことで言ってしまえばイエス伝にあたる「伝記的記述部分」が中核をなし、後半はパウロらが諸地域の信徒にあてた「書簡的記述部分」が大半を占めている。そのため当然ながら、人類全体と特定の民族による大きな流れの物語の集積である旧約に比べ、新約はイエスと使徒たちの生涯とその言動という、個人的なエピソードが主体をなす点に最大の違いがあると言えるだろう。

第一部では、こうしたふたつのタイプの物語のそれぞれを、ダイナミックに、かつユーモラスに、そして現代の日本人にも想像しやすいかたちで味わっていただいた。わが国にはユダヤ教は言うにおよばず、キリスト教の文化背景も充分にあるとは言えないので、仁義なきエピソードを手掛かりに楽しむことは、大いに益があるだろう。

しかし考えてみれば、クリスマスのような形式的な導入だけでなく、さまざまなかたちで聖書の文化はわたしたちの身の回りに染み込んでいる。たとえば「目からうろこ」という表現は新約聖書に由来するし、「目には目を、歯には歯を」という同態復讐法も、起源こそハンムラビ王だが、世界的に広まったのは旧約聖書の記述のおかげだ。

現在、世界で最多の信者数をもつ二大宗教であるキリスト教とイスラム教は、ともにユダヤ教を母として生まれた。この家族は他のほとんどの宗教と異なり、絶対的な唯一神のみを信仰する「一神教」という特徴を持つ。このことは、後述するように神の姿を絵画や彫像にしてはならないというルール（偶像崇拝の禁止）につながる。そのため、ユダヤ教もイスラム教もこのルールを厳格に守ってきたのだが、そのなかでキリスト教だけが神の姿を絵画や彫像にしてきた。それも、大々的にだ。

それはなぜか――。答えは、ユダヤ教がユダヤ民族だけを相手にしていたのに対し、キリスト教が他民族にも教えを広めようとしたからだ。これはパウロの進歩的な考えによってであり、彼のおかげでキリスト教が世界宗教となりえたのだが、しかしその過程では、言葉も通じない（当時はそもそも識字率自体がおそろしく低い）、しかも昨日まで他の神（たいていは複数の神がいる多神教だ）を信じていた人々に教えを伝える必要がある。

それならば、新聞もテレビも無い時代に、最も情報の伝達力があった「イメージ」すなわち「美術」の力を借りるほかない。こうして、聖書と美術の間に強固な関係が生まれたのだ。そして周知のとおり、紀元後の西洋世界はキリスト教世界とほぼ同義語なので、識字率が飛躍的に向上した一九世紀に入るまで、西洋美術これすなわちキリスト教美術とよべる時代が続いた。

そこで第二部では、こうした聖書と美術の結びつきを、さまざまな「仁義なきエピソード」をとりあげながら、複数の側面から見ていくことにしよう。それらを味わい、楽しむことで、異文化理解が一層深まり、今後の美術鑑賞がより味わい深いものになれば幸いである。

なお、第二部のここまでの記述は、『仁義なき聖書美術』【旧約篇】と同内容のものであることをお断りしておく。

1 洗礼者ヨハネの斬首

ヘロデの誕生日にヘロディアの娘が、皆の前で踊りをおどり、ヘロデを喜ばせた。それで彼は娘に、「願うものは何でもやろう」と誓って約束した。（……）「洗礼者ヨハネの首を盆に載せて、この場でください」と言った。王は（……）人を遣わして、牢の中でヨハネの首をはねさせた。（『マタイによる福音書』第14章）

イエスの先輩格として、イエスに洗礼を授けた洗礼者ヨハネは、ユダヤ王の牢屋につながれ、宴の舞の褒美としてサロメが首を望んだことによって斬首される。ファム＝ファタルの代表格としても人気の高いサロメだが、聖書には実は「サロメ」の名は記載されておらず、引用文にあるように「ヘロディアの娘」や「少女」として登場する。しかし一世紀のユダヤの歴史家フラウィウス・ヨセフスが著した『ユダヤ古代誌』には、サロメの名とともに、その家族関係が詳しく記録されている。サロメの母ヘロディアは、最初の夫（かつサロメの父）と離縁し、その異母兄弟をあらたな夫とする。これがユダヤの王ヘロデ・アンティパスであり、ヘロディアの連れ子と記されるサロメも実在の人物としてよい。

しかしヘロディアの再婚がユダヤの律法に反するとして非難したのが洗礼者ヨハネであり、そのことで牢屋につながれていた。王妃となったヘロディアにとって、結婚を無効と主張する洗礼者ヨハネは、自らの地位をゆるがしかねない危険人物に映ったことだろう。そのために彼女は娘を使って洗礼者ヨハネを死に追いやったのだ。

自らの姿を重ねる画家

踊りあり処刑ありのこのエピソードは画家の創作意欲を刺激することもあって、これまで何度も主題としてとりあげられてきた。そのなかで、カラヴァッジョの作品（図42）はひときわ異彩を放っている。というのも、処刑される洗礼者ヨハネの首から流れ出した血によって、カラヴァッジョは自らの名前を記しているからだ。カラヴァッジョは厳かな作風と相反して、いやだからこそと言うべきか、激情型の気質で知られており、何度も揉め事をおこしては投獄されるなどしている。そしてついには人を殺めてしまい、本作品を描いた時には指名手配されて逃亡中の身だった。それも、見つけ次第殺して良いという非常に重い罪状だった（【旧約篇】序章参照）。流血の署名は、斬首されるヨハネの姿に、画家が自らの行く末を重ねて見たことを示している。

一方、洗礼者ヨハネの首だけを描いた作品も多く、たいてい盆の上に置かれた状態で描かれる。カイーロの作品（図41）は、そのなかでもひときわ生々しく描かれた例である。これを描くにあたって、画家はほぼ確実に、実際の死体をスケッチしたはずだ。ティエーポロの作品（図43）も、そのパステル調の明るい色彩に反して、切

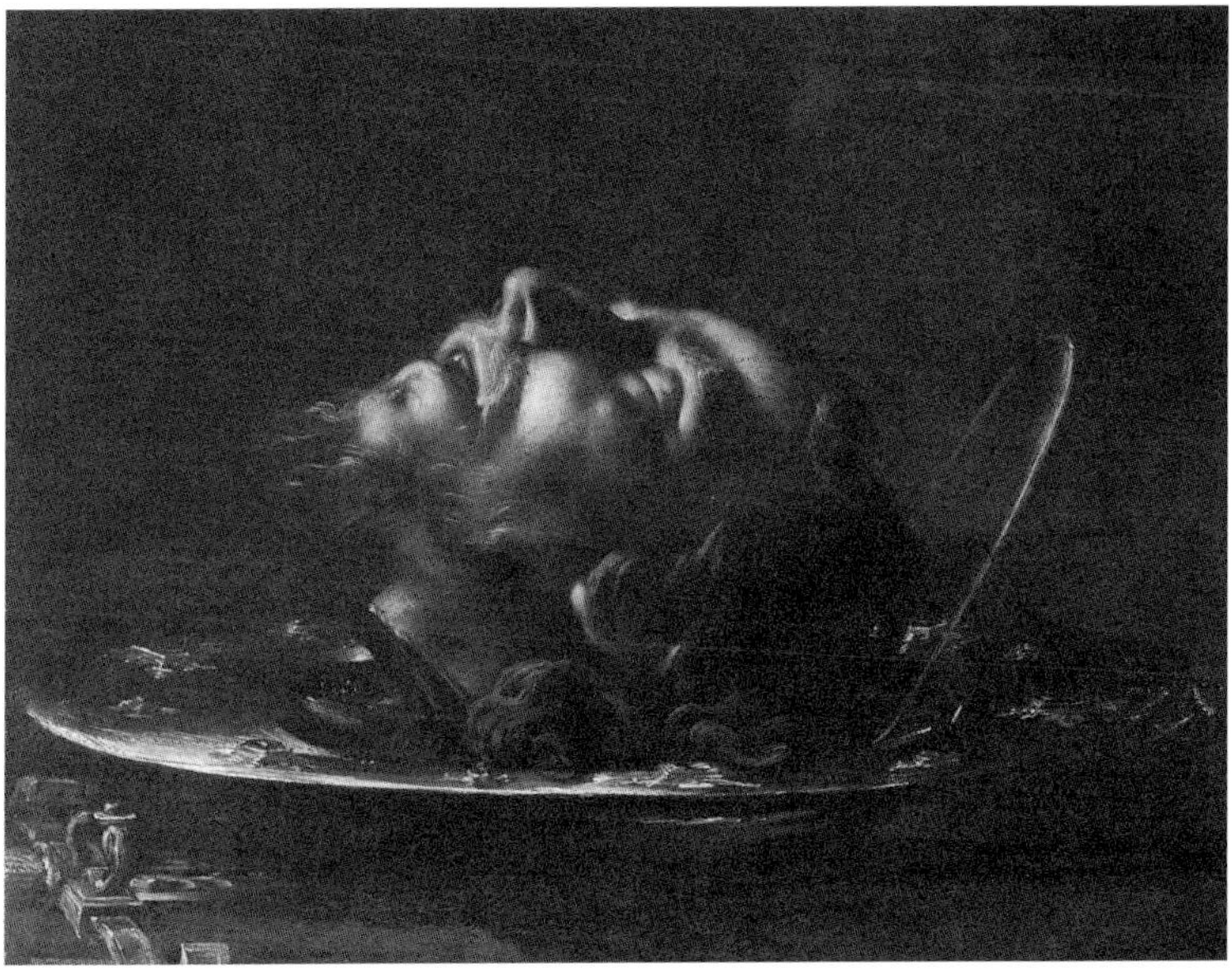

図41　フランチェスコ・カイーロ、≪洗礼者ヨハネの頭部≫、1630年頃、カーン(フランス)、カーン美術館

図42　ミケランジェロ・メリージ・ダ・カラヴァッジョ、《洗礼者ヨハネの斬首》、1608年、ヴァレッタ（マルタ）、サン・ジョヴァンニ大聖堂

図43　ジョヴァンニ・バッティスタ・ティエーポロ、≪洗礼者ヨハネの斬首≫、1732-33年、ベルガモ、コッレオーニ礼拝堂

断された首から噴き出す血が石段をしたたり落ちる様や、ぐったりとうつぶせに力なく倒れこんだヨハネの体など、生々しい臨場感が際立っている。画面右で腰に手をあてている女性がサロメで、凄惨な場面にもまったく動揺を見せないその堂々とした姿は、その左隣で豪華な衣装を身に包むヘロデの心配そうに沈んだ表情と良い対比を見せている。

ティエーポロの時代にはまだファム＝ファタルという言葉はないが、画家がサロメに求めた役割が、男性をしのぐ強さを秘めた妖しい魅力にあるのは歴然としている。聖人を死にいたらしめた女性だからといって、ただ憎しみの対象となったのではなく、とくにルネサンス以降、画題としておおいに人気を博した理由はまさにそこにある。サロメはその美しさと官能的な踊りによって男性の判断を狂わせたキャラクターだからこそ、その魔性の美しさを描き出そうと画家たちは試みてきた。甘美で危険なエロティシズムに、一度ぐらいは溺れてみたいという男たちの愚かな憧れを、サロメはかきたてる存在なのだろう。

2　嬰児虐殺

旧約聖書は神が人類全体やユダヤ民族自体に試練を与える話のオンパレードだったが、新約聖書の四福音書では、ターゲットはほぼイエスひとりに絞られる。なにしろ誕生した瞬間からすでに、彼の受難は始まっている。東方から来た占星術の学者たちによって、真の「ユダヤ人の王」が誕生したと聞かされたヘロデ王は、おおいに不安にかられ、ならばとベツレヘム地域の二歳以下の男子を皆殺しにさせる。

星の導きによって、誕生したばかりのイエスに会うことができた学者たち（彼らがいわゆる「東方三博士の礼拝」なる主題に登場する博士たち＝マギである）は、マリアとヨセフに、エジプトに逃げて難をのがれるよう助言する。こうしてイエスのかわりに殺害された幼子たちは、広義における最初の殉教者とみなされる。

このストーリーにも下地となる先行エピソードがある。それが旧約聖書の『出エジプト記』のなかで、エジプトのファラオがユダヤ人の乳児のうち男子だけを皆殺しにする話である。この時に難を逃れたのが旧約世界最大のヒーローとなるモーセであり、つまりは新約におけるイエスの出現をあらかじめ暗示する「予型」ともみなされている。そしてもっと範囲を広げれば、おさな子によって将来自分の地位がおびやかされると予言された権力者が、その子を殺そうとする話は世界中の神話や伝承にある。たとえばギリシャ神話の主神ゼウスの兄弟と父クロノス、そしてクロノスとその父ウラノスとの関係はすべて、「子殺し」のたくらみと、それが逆転しての「父殺し」の構図をとっている。

殺しているのは誰か――隠された画家の意図

この虐殺場面は画家の挑戦心をかきたてるのか、多くの作品が存在する。主として、ひとつの殺害場面に焦点をしぼったタイプ（図44）と、大勢の幼児が命を落としている群衆場面を描いたもの（図46）とがある。前者にあたるプッサンの例では、今まさに剣を振りおろそうとする兵士を、母親が必死の形相でとどめようとすがりつく。その後方では、放心状態でわが子のなきがらを抱える母親がいる。

図44　ニコラ・プッサン、《嬰児虐殺》、1625-31年頃、シャンティイ、コンデ美術館

図45　グイド・レーニ、《嬰児虐殺》、1611-12年、ボローニャ、国立絵画館

図46　ピーテル・ブリューゲル（父）、《ベツレヘムの嬰児虐殺》、1565-67年、ウィーン、美術史美術館

レーニの作品（図45）はその中間にあたり、画面に複数の人数を押し込みながらも、全体的に統一感のある構図におさめる工夫がなされている。たとえば、画面左で髪をひっぱられる母親と、つかんだ兵士がのばした右腕が描くライン。そしてその右で逃げだす母親の背中の輪郭と、画面右下でたたずむ母親。その左隣の別の母親の背中のラインと、上方の兵士の腕のライン。それらすべてをつなげると、画面中央に大きな逆三角形のラインが浮かびあがるはずだ。計算し尽くした画面構成を得意とするレーニならではの技である。ちなみに画面左上では、殺された幼児の魂に、天国への通行証となる麦穂を天使たちが渡している。

群衆構図の典型例であるブリューゲルの作品は、ほぼ同じ構図のものが一四点ほど確認されている。ブリューゲルは家族総出で大工房を経営しており、誰の作品かを見極める帰属問題は非常に難しく、この作品の作者にも諸説ある。そもそも、共同制作が当たり前の工房で生み出された作品を、そのうちの誰かひとりの手に無理に帰せる必要もないのだが。

この作品ではいたるところで幼児が殺害されているが、イギリスのハンプトン・コートにあるヴァージョンでは、それらが壺や丸太、動物などに塗り変えられている。主題が何だったのかわからなくなるような処置なのだが、後世その絵を所有していた人物が、そのあまりの残酷さを覆い隠そうとしたものと考えられている。

興味深いことに、ここに掲載したウィーン版をはじめとした作例では、画面中央やや右寄りに、民衆に囲まれている馬上の人物がいる。おそらくは伝令かなにかの役にあたる将官と思われるが、その上半身に付けた鎧には、うっすらと双頭の鷲がデザインされていることが確認できる。これは実はハプスブルク家の紋章にほかならない。もちろんイエスが生まれた時代にハプスブルク家があったはずもなく、つまりは画家が生きた時代のネーデルラントが、スペインのハプスブルク家の支配下にあったことをうけている。ここで画家は、聖書の主題にことよせて、圧政下にあった祖国の窮状を訴えているのだ。

column

聖書美術が抱えていた制約

聖書美術には、ひとつ大きな制約があった。それは、神／キリストの姿を絵に描いてはならないというルールを大前提としていたことだ。西洋美術のかなりの割合を聖書美術が占めているが、そうした事実と矛盾するようなルールが最初はあったのだ。

このような制約があったのは、ひとえにユダヤ教／キリスト教が一神教であることによる。旧約聖書に、神の教えを伝える役目を担うモーセが、教えに行った先で人々から「その（神の）名は一体何か、と問うに違いありません。彼らに何と答えるべきでしょうか」と神に問うくだりがある。それに答えて神はモーセに「わたしはある。わたしはあるという者だ」と言えと命じる。この「ある／存在する」という、英語のbe動詞にあたる言葉から採られた名が「ヤハウェ」で、日本ではよく「エホバ」と表記される。神の回答はなにやら抽象的に聞こえるが、つまりは普遍的にいたるところに存在し、特定の名をもたないことを意味する。というのも人間は、たとえば「イヌ」と名を付けると、その種と他の種を区別しはじめるからだ。一方、「イヌ」にも「ネコ」にあたる名も持たない民族は、「獣」や「四足」にあたる語でくくり、そのなかを区別しない。つまり、人間とは名付けることによって何かを他と区別する生き物なのだ。一神教ではただひとつの神しかいないことが前提なので、区別する、つまり他の存在を認めることになる「名づけ」という行為を必要としない。だからこそモーセの十戒でも、神は「主の名をみだりに呼ぶな」と厳

図47　イエスのシンボル、5世紀、タブハ／ガリラヤ（イスラエル）、パンと魚の奇跡の教会

命しているのだ。

よって一神教の神には名が無く、常に、どこにでもある存在となる。言ってみれば神はエーテル体のような霊的存在なので、物理的な実体を持たない。そのため、神の姿を絵にすること自体が禁じられていたのだ。

この制約のため、初期キリスト教時代には、キリストの姿を描く代わりに、魚の絵で代用するような苦心がなされた（図47）。「救い主キリスト」の意となる語の頭文字を並べると、「魚（イクトゥス）」と同じ綴りになるからだ。とはいえ、言葉も通じない異教徒相手に布教しようと思えば、イメージによる情報伝達力に頼らざるをえない。いつしかルールもうやむやにされ、神／キリストの姿が描かれるようになった。

こうして、本書で扱っているような聖書美術が西洋美術の大半を占める結果となったのだ。

3 パッション
イエスの受難伝

キリスト教は最も多くの信徒数をほこる世界宗教だが、他の宗教にはあまりみられない一風変わった特徴をもっている。それは、大勢でたった一人を辱めて痛めつけるストーリーが、説話のなかで中心的な位置を占めている点である。それもみな、人間が犯した原罪を贖《あがな》うためにこそイエスが地上にあらわれたとの設定によるものであり、贖罪の過程が過酷で苦しいものであればあるほど、イエスの死による浄化もなしとげられると考えられたためである。すべては予定されていたものであり、福音書でもイエス本人が予定通りだと何度か発言している。

イエスが逮捕されて処刑されるまでの二日間にわたる、一連の出来事をとくに「受難伝（パッション）」と呼ぶ。弟子のひとりであるイスカリオテのユダが、裏切って銀貨三十枚でイエスを売る。イエスは弟子たちと過越《すぎこ》しの祭を祝う晩餐をとるが、すでにユダの裏切りを見通していたイエスは、弟子たちに裏切り者がいることを告げる。その言葉に騒然とする様子は、レオナルド・ダ・ヴィンチの〈最後の晩餐〉（ミラノ、サンタ・マリア・デッレ・グラーツィエ教会）などでおなじみである。

　イエスを裏切ろうとしていたユダは、「わたしが接吻するのが、その人だ。それを捕まえろ」と、前もって合図を決めていた。ユダはすぐイエスに近寄り、「先生、こんばんは」と言って接吻した。イエスは、「友よ、しようとしていることをするがよい」と言われた。（『マタイによる福音書』第26章）

ジョットの作品（図48）では、逮捕にきた者たちの前で、ユダがイエスにキスをしている。引用文でわかるとおり、ユダが何をしに来たかすべてお見通しなので、イエスは裏切り者の顔をじっと見つめる。画面左側では、一番弟子で短気な使徒ペテロ（シモン／ケファ）が、激昂して逮捕に来た男にナイフで切りつけている。切っ先のすぐ下に、今まさに切り落とされたばかりで落下中の耳たぶが描かれている。

同じ場面でも、パステル調でやや明るい印象のジョット作品と比べて、アルトドルファーの絵（図26、73頁）は真っ暗で、場面に一層のサスペンス的臨場感を加えている。画面やや右寄りにイエスがいて、兵士たちに腕をつかまれている。左端にいるペテロの手には立派な剣が握られており、彼に耳を切られた兵士が画面手前で耳を手でおさえながら尻もちをついている。もともと複数場面からなる大きな祭壇画の一パネルとして描かれたものだが、現在はいくつかの断片しか残っていない。しかし、テレビドラマなど無い当時、これほどドラマティックな手法で描かれた絵画は、いったいどれほど観る者に強烈な印象を残したことだろう。

もっと残酷に！――絵画に求められたもの

その後の受難伝の諸場面を描いた作品には、およそ画家が思いつく限りの残酷さがぶつけられている。イエスの苦しみが大きいほど、贖罪も達成されるのだから、絵画にも可能なかぎり残酷な描写が求められた。

人々は、「死刑にすべきだ」と答えた。そして、イエスの顔に唾を吐きかけ、こぶしで殴り、ある者は平手で打ちながら、「メシア、お前を殴ったのはだれか。言い当ててみろ」と言った。（『マタイによる福音書』第26章）

群衆は昂奮して死罪をもとめ、イエスを殴り、嘲笑する。グリューネヴァルトは人間の弱さや愚かさを露わに描き出す画家だ。彼の作品（図49）では、目隠しをされたイエスを、グロテスクなまでに愚かに描かれた刑吏たちが鞭や拳で殴り、辱める。こぶしを振り上げる男が、渾身の力をこめて打撃を加えようとしている様子が、やや弓なりになった彼のポーズによって上手く表現されている。

図48　ジョット・ディ・ボンドーネ、《ユダの接吻》、1300-05年頃、パドヴァ、スクロヴェーニ礼拝堂

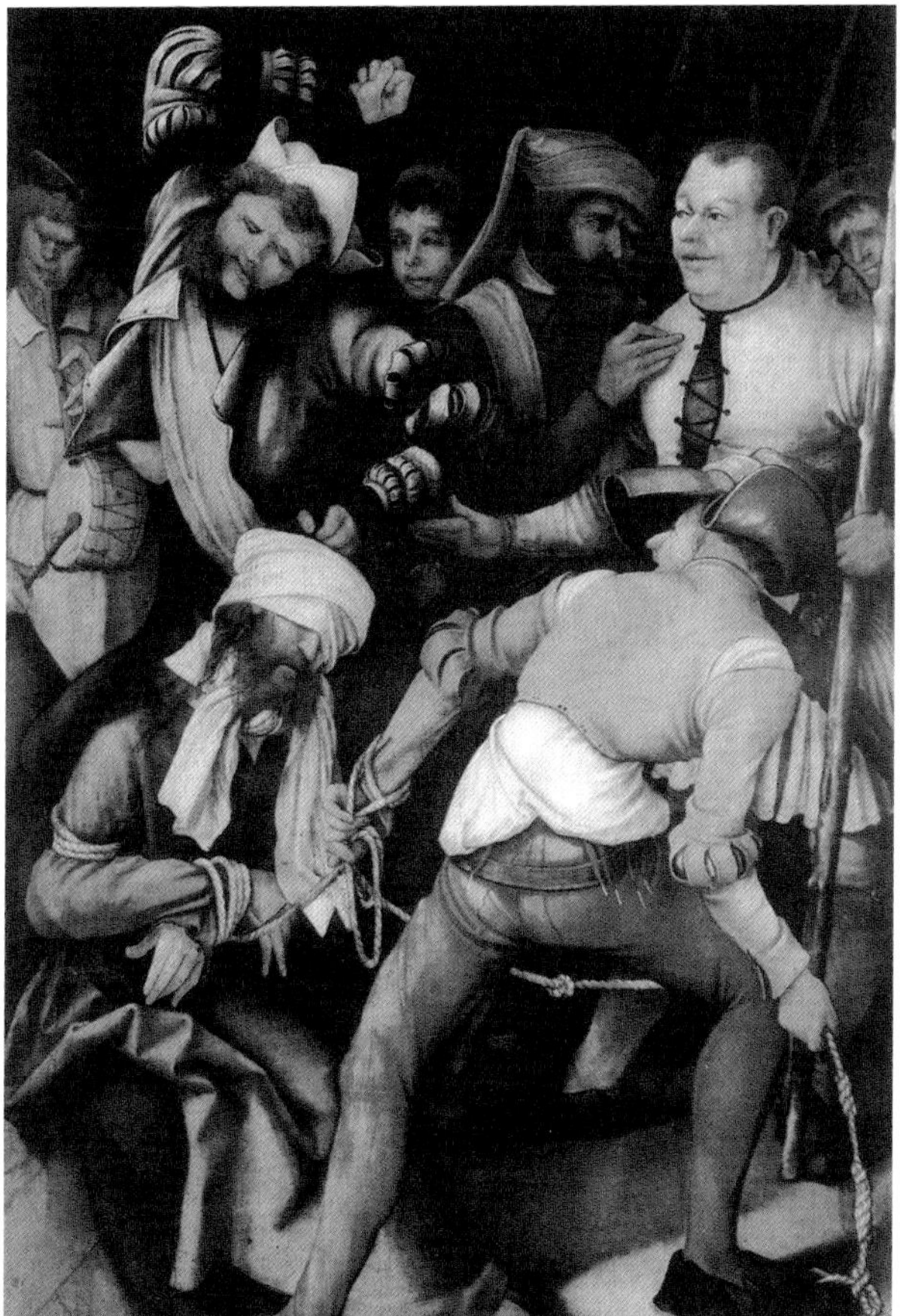

図49　マティアス・グリューネヴァルト、≪嘲弄されるキリスト≫、1503年、ミュンヘン、アルテ・ピナコテーク

注目すべきは、画面右奥の人物が頭に被っている特徴的な帽子である。これはユダヤ人であることを示す当時の記号的モチーフだった。イエスを殺したのはユダヤ人との構図は、キリスト教世界となって以降のヨーロッパでは支配的な考えであり、彼らにすべての罪を押し付けるためにも、イエスの受難伝で主体的に残忍さを発揮するのがユダヤ人であると示すのは重要だった。しかし考えてみれば、イエス本人もユダヤ人には違いないのだが。

嘲弄の表現がさまざまである点は面白く、たとえばナポリで活躍した逸名画家による作品（図50）では、ぐったりしているイエスの目の前にこぶしを突き上げている男がいる。よく見るとその手は、人差し指で作った輪のなかに親指を通している。これは現代でも欧米圏でひとを馬鹿にしたり否定的な性的ニュアンスで用いられる表現だ。一方、硬く鋭い棘をもつ茨でできた冠を、イエスにかぶせようとしている場面を描いたファン・ダイクの作品（図51）では、右手前の人物がイエスに葦を持たせようとしている。これは、そもそものイエス逮捕の理由が、ユダヤの王としてふるまい、ユダヤの神官や神殿をおろそかにしたというものだったので、葦を王笏に見立てて握らせて「ほらお前はユダヤの王なのだろう」と嘲笑するためである。

私たちには罪はない——描かれるヨーロッパ人の意識

ところで、受難伝を扱った絵画の多くに、彼らユダヤ人に混じって、ひとりだけ異なる衣装で描かれる高位の人物がいる。これがローマ総督のピラト（ピラトゥス）である。ユダヤはヘロデのような指導者を戴きながらも、基本的には属州としてローマ帝国の支配下にあった。ユダヤの指導陣には死刑の執行権限がなく、そのため捕縛の翌日、ピラトの前で裁判がおこなわれた。

ピラトは自分では判決を下す責を負わず、ユダヤの民衆に判断を委ねる。極悪の囚人バラバとイエスのどちらを釈放したいかと問われて、群衆は迷わずイエスの死を選ぶ。ローマ兵たちはイエスを円柱に縛り付け、鞭で打ち、茨の冠をかぶせて「王様！」とふざけて拝む。パッハーの作品（図52）は、この場面をあつかった「キリストの鞭打ち」と呼ばれる主題の一例である。鞭打ち場面でイエスはたいてい古代ローマ風の円柱に繋がれているので、円柱はそのまま受難図像の代表的なモチーフとなった。

パッハーが描いたイエスの肌は一面の赤いミミズ腫れで覆われている。鞭は私たちが想像するよりもはるかに残酷なものであり、硬い樹の枝でできたものか、丈夫な縄に結び目をこしらえて、石や釘を結び付けたものを用いた。一撃で皮が裂け、血が噴き出すようなしろものであり、その様子を克明に描写したメル・ギブソン監督の映画「パッション」では、凄惨さのあまり世界中で気絶する人が続出した。

先述したように、受難が過酷なものであればあるほど、その後の浄化は達成される。進んでイエスに暴行を加えるひとびとは、いかにも愚かさをさらけ出しているかのような顔つきで描かれる。彼らの下品な表情と、イエスの悲痛な顔つきはよい対比をなしている。しかし、繰り返すが彼らは画家たちが属しているヨーロッパ圏の白人種ではなく、キリスト教の信徒でもない。あくまでも悪いのは異教徒であるユダヤ人であり、ヨーロッパ人には責任がないと彼らは考えている。このことは、パッハーの絵の右上や、マセイスの作品（図53）でイエスの隣に描かれるピラトの仕草にあらわれている。ローマ人の衣装としては奇妙だが、これは画家たちに古代文化の知識が欠けていることが原因で、これでもルネサンス当時のピラトの定型表現なのだ。彼は絵のなかで、自らはあずかり知らぬと手を広げ、目を瞑《つむ》り、あるいは顔を背けてイエスの受難の場面を見ないようにしている。これらのほかに、ピラトが手を洗っているタイプもあるのだが、これも自分の手は汚れていない＝責任がないことを示

図50　ナポリ派の画家、≪嘲弄されるキリスト≫、1616年以降、パリ、ルーヴル美術館

図51　アントン・ファン・ダイク、≪茨の冠≫、1618-20年、マドリッド、プラド美術館

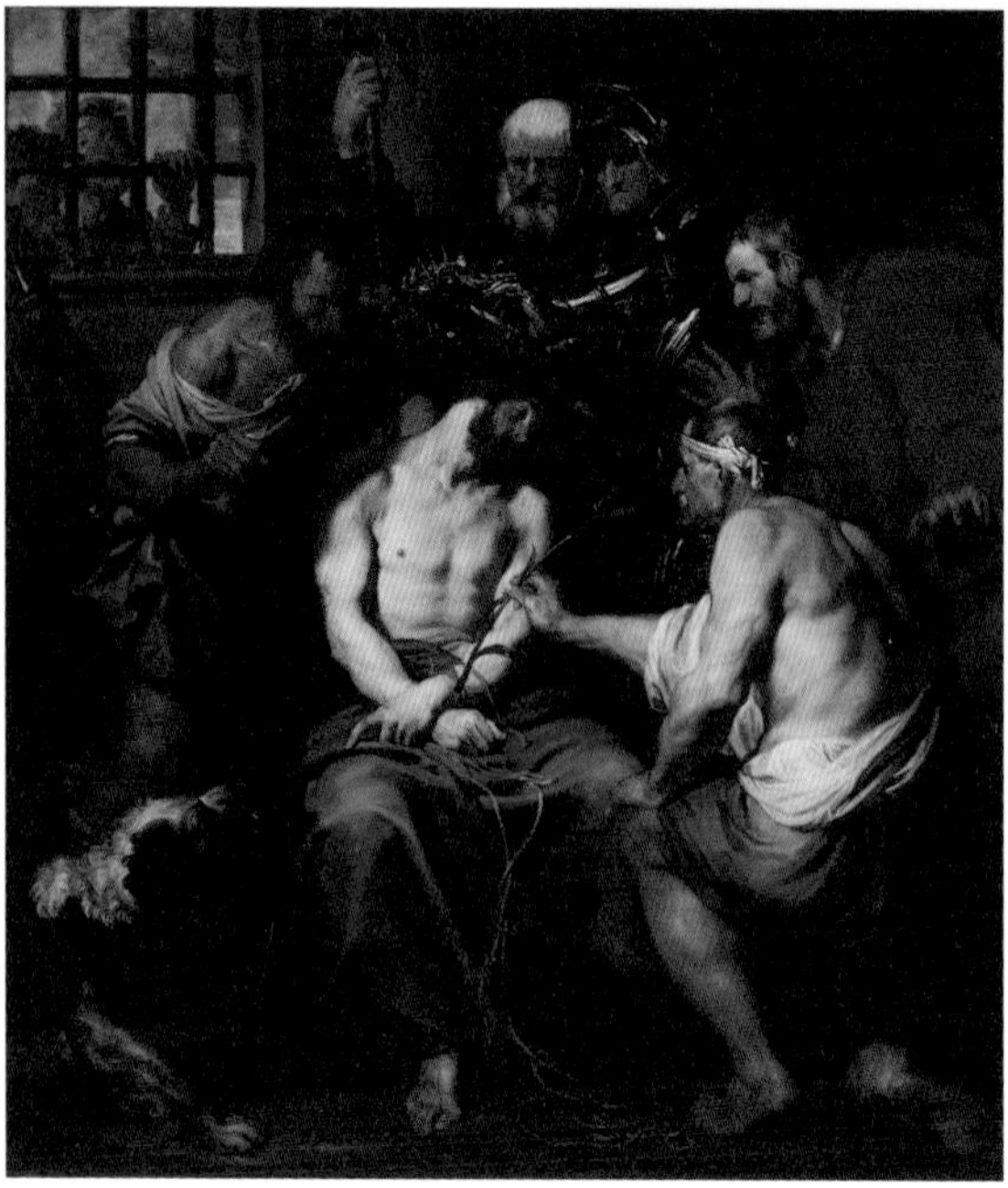

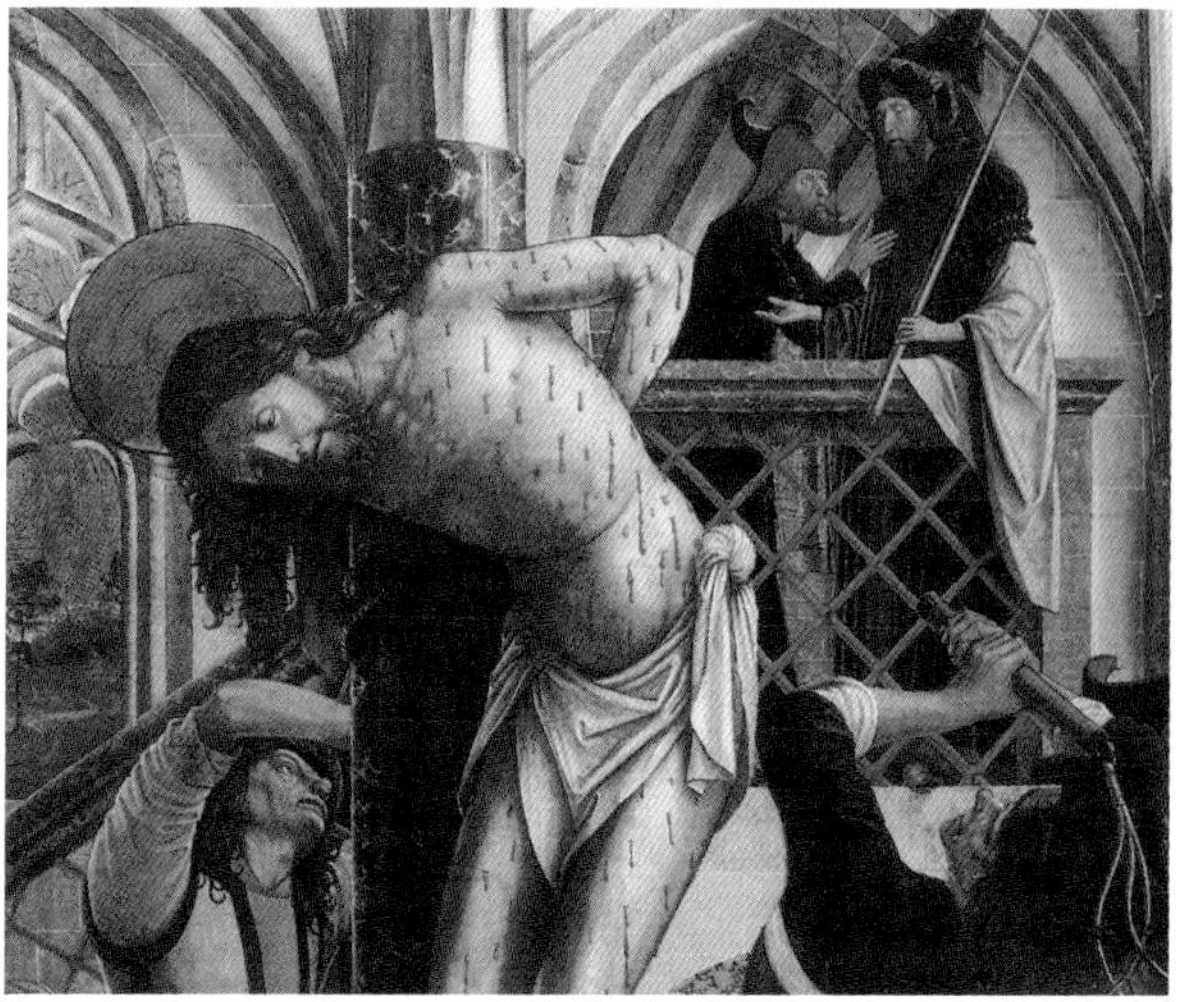

図52　ミヒャエル・パッハー、《キリストの鞭打ち》（部分）、1495-98年、ウィーン、オーストリア絵画館

図53　クエンティン・マセイス、《エッケ・ホモ（この人を見よ）》、1526年、ヴェネツィア、ドゥカーレ宮殿

すための表現である。

4 磔刑　最も多く描かれた「死」

処刑の日、まずイエスは刑場であるゴルゴタの丘まで十字架を担いで登らされる（図54）。ゴルゴタとは髑髏を意味するアラム語に由来するが（同様にカルヴァリオも同じ意味のラテン語から）、その現在地はよくわかっていないものの、一般的にはかつてウェヌス（ヴィーナス）の神殿があった丘（現在では聖墳墓教会が建てられている）だと信じられている。ドイツの画家ベガートは時代的に盛期ルネサンスに位置するが、しかし建物や風景の描き方には中世的な味わいが色濃く残る。人物も解剖学的正確さからはほど遠いが、だからこそどことなくユーモラスで性格表現に富んでいる。異時同図法により、画面右上には磔刑に処せられた三人の罪人がいて、そのすぐ左側には自殺するユダの姿がある。

兵士たちが来て、イエスと一緒に十字架につけられた最初の男と、もう一人の男との足を折った。イエスのところに来てみると、既に死んでおられたので、その足は折らなかった。しかし、兵士の一人が槍でイエスのわき腹を刺した。すると、すぐ血と水とが流れ出た。（『ヨハネによる福音書』第19章）

刑場に着くと、イエスは十字架に釘で打ちつけられる（図30、81頁）。美術史ではたいてい手のひらに打たれる様子が描かれるが、実際には手首に打つ。手のひらでは体の重みに耐えられず、すぐに裂けて外れてしまうからだ。画面手前には釘穴をあけるためのキリと釘が、そしてその奥には手のひらに釘を打とうと金槌を振り上げる男がいる。対ユダヤというよりも、イスラム文化圏との衝突が始まって久しい時代の絵画なので、画面右上にターバンを巻いた回教徒が描かれている。

釘打たれてできた傷口から血が流れ出て、やがて受刑者は失血死にいたる。血圧の急激な低下による頭痛は激しく、受刑者の苦しみは私たちの想像以上に大きい。そのため、受刑者のすねを槌《つち》で折るなどして死期を早める処置をほどこす。残忍な行為にみえるが、これでも温情措置なのだ。ちなみにイエスの脇腹を槍で刺したロンギヌスは、その後キリスト教に改宗したとされるが、これは後世創作された人物である。こうして両手足と脇腹にできた五箇所の傷を「聖痕《せいこん》」と呼び、これらをしっかり見せることも画家に求められた課題だった。

腐敗する肉体

大小さまざまだが、磔刑図はかつてキリスト教徒の全家庭にあったと言っても過言ではない。イエスの犠牲とひきかえに達成される贖罪を中心思想に据えたキリスト教では、必然的にイエスの死の瞬間が最も重要な場面であり、そのため十字架上のイエスを描いた絵画は、疑いなく人類史上最も多く描かれた死の瞬間となった。

そのなかで、グリューネヴァルトの作品はその容赦のない描写で異彩を放っている（図55）。一二世紀ごろまでは痛みなどまったく感じないかのように超然としたキリスト像が主流だったが、その後はキリストも私たち人

図54　デリック・ベガート、《ゴルゴタの丘（カルヴァリオ）への道行き》、1490年頃、ミュンスター、ヴェストファーレン州立美術館

図55　マティアス・グリューネヴァルト、《磔刑》、1512-15年頃、コルマール（フランス）、ウンターリンデン美術館

図56　ブラマンティーノ、《磔刑》、1515年頃、ミラノ、ブレラ美術館

類と同じ肉体をまとって地に降りたとの考えから、弱々しさをみせる磔刑像に取って代わられた。グリューネヴァルトが描く衰弱したキリストの、紫色の斑点を浮かべて腐り始めた皮膚の表面。だらしなく開かれた口。死体や病人を観察し、リアルさをこれでもかと追究した死の表現はしかし、画家の死後評価をさげ、何世紀にもわたって無視されていた。

なお十字架の上部にある「ＩＮＲＩ」は、「ユダヤの王、ナザレのイエス」を意味する頭文字であり、兵士たちが面白がって付けた称号である。またイエスの十字架は下だけが長い十字の形（ラテン十字）をしているが、これはローマ文化圏でキリスト教が広まった後に採用されたものだ。実際のイエスの処刑には、一本だけのＩ字型や、上部が分かれたＹ字型などが用いられたと考えられている。

ブラマンティーノの作品（図56）には、磔にされている人物が他に二名いるが、彼らはイエスと同日に処刑された罪人である。イエスの右（向かって左）のディスマスは、イエスが自分たちとは違うことを知っており、天使が魂を迎えに来ている。一方、左（向かって右）のゲスマスはそのことを理解せず、悪魔が魂を迎えている。ヨーロッパに限らず世界中に広くみられる「右＝善、左＝悪」とする考え方を反映している。

同作品の最上部に描かれた二つの円は、それぞれ太陽と月を意味する。「一方が昇ると片方が沈む」サイクルを繰り返す両者は、死と復活をくり返す輪廻転生をあらわすモチーフとなった。そのため、イエスの死と復活を主題とする磔刑図にしばしば描かれる。ところで本作品の太陽と月の内部に、うっすらと顔が描かれていることにお気づきだろうか――。これはかつて太陽神ヘリオス（アポロン）と月の女神セレネー（アルテミス／ディアーナ）が天空を日々駆けるものとみなしていた古代ギリシャ・ローマ神話の名残である。面白いことに、これは一神教のキリスト教絵画のなかに、ルネサンス（古典復興）を経て、多神教文化が採用されたことを示す好例である。

聖母の死

処刑が終わると、遺体が降ろされて埋葬され、周囲にいた者たちはみな涙を流して嘆く（これを「集団哀悼」と呼ぶ）。そこから聖母マリアとイエスだけを抽出した形式を「ピエタ」と呼ぶ（図57）。我が子をうしなった母の悲しみを中心とした、観る者の心に訴えかけやすい主題である。

さて旧約聖書におさめられた四つの正典福音書（マルコ、マタイ、ルカ、ヨハネの四書）はここまでの描写で終わるのだが、後世書かれた『黄金伝説』などでは、マリアの死についても言及した箇所がある。

マリアのたましいは、その生涯にわたってすこしの汚れもなかったように、うつせみの痛みも苦しみもなく肉体からはなれ、おん子の腕のなかにとびこんだ。（ヤコブス・デ・ウォラギネ、『黄金伝説』「聖母マリア被昇天」、前田敬作・西井武訳）

正典福音書ではマリアの扱いはさして大きくなく、むしろ自分の子が何者であるかを理解できない愚かな女性といった扱いに近い。しかしイエスが生まれる前の出来事、つまりマリア伝に相当する『ヤコブの原（プロト）福音書』が、はやくも二世紀に登場している。そこではマリア自身も神の意志によってこの世に生をうけており、マリアにある程度の聖性を付与する内容となっている。つまりマリアの神格化とも言えるような動きが、はやく

図57　フィンセント・ファン・ゴッホ、ドラクロワに基づく《ピエタ》、1889年、アムステルダム、国立ゴッホ美術館

図58　ミケランジェロ・メリージ・ダ・カラヴァッジョ、《マリアの死》、1601-03年か、パリ、ルーヴル美術館

図59　ティツィアーノ・ヴェチェッリオ、《聖母被昇天》、1516-18年、ヴェネツィア、サンタ・マリア・グロリオーザ・デイ・フラーリ教会

からあったことを意味する。一神教徒になったとはいえ、ヨーロッパの根底を流れる多神教文化の影響により、女性性を有する信仰対象も無意識に求められたのだろう。

カラヴァッジョのリアリズムは、聖母の死を描く際にも発揮されている（図58）。腹部がガスでふくれあがったマリア。おそらく死体を実際にスケッチして描かれている。そのあまりにリアルな表現を、マリアへの敬意が足りないと判断した注文主サンタ・マリア・デッラ・スカーラ教会は、本作品の受け取りを拒否している。

聖母へのいわば「半聖性の付与」の動きはまた、「聖母被昇天」と呼ばれる主題も生んだ。これは文字通り、マリアが死後天国に迎えられる瞬間を描くものだ。ティツィアーノの大作（図59）では、中央に浮かんだマリアが、上方にいる父なる神に迎えられようとしている。彼女の足元には大勢の天使がいる点がこの主題の特徴のひとつである。なぜなら、キリストが磔刑後に昇天する際には、自分が元いた場所に帰るだけなので誰の助けも借りず独力で昇っていくが、マリアは神ではないので自力では天に昇ることができず、そのため天使たちに運んでもらう必要があるからだ（「被」昇天と呼ぶのもこうした理由による）。

column

キリストを売った男

ユダのその後

イスカリオテのユダは、その後どうなったか。彼はイエスに有罪判決が下されたことを知って自責の念にかられ、銀貨を返そうとするが、「我々の知ったことではない。お前の問題だ」と突き放されてしまう。

ユダは銀貨を神殿に投げ込んで立ち去り、首をつって死んだ。（『マタイによる福音書』第27章）

この記述により、先に紹介したベガートの作品（図54、132頁）のように、イエスの受難伝の後ろでユダが首をつっている場面は多い。キリスト教では自殺は罪深い行為とみなされており、「七つの大罪」のひとつ「絶望」はたいてい自殺者の姿で描かれる。

新約聖書には正典四福音書のほかにも文献がおさめられていて、そのひとつ『使徒言行録』にもユダのその後が採り上げられている。そこでは『マタイによる福音書』と異なって、イエスの会計係のような仕事をしていたユダは、不正を働いて得た報酬で土地を購入していた。ユダは首つりをすることなく、以下のような記述が続く（その地面とは彼が購入した土地のこと）。

その地面にまっさかさまに落ちて、体が真ん中から裂け、はらわたがみな出てしまいました。（『使徒言行録』第1章）

現在のイタリアとフランスとの国境地帯で活動した一五世紀の画家カナヴェージオは、純粋な美しさよりもストーリーのナラティヴな面白さを重視した作風で知られている。彼が描いたユダの姿はその最たるもので（図60）、観る者に強烈なインパクトを与える。彼の解釈は『マタイによる福音書』と『使徒言行録』の両方の記述を合わせたもので、首を吊ったユダの腹を裂き、内臓をはみ出させている。腹の中から引っ張り出されているのは彼の魂で、それを悪魔が地獄へと持ち去ろうとしている。

そのままユダは地獄で今も責苦にあっているに違いない——。たいていの人はこう考えるのだが、しか

図60　ジョヴァンニ・カナヴェージオ、《ユダの自殺》、1491年、
ラ・ブリギュ（フランス）、ノートル・ダム・ド・フォンテーヌ礼拝堂

図61　ギスレベルトゥス、《ユダの自殺》、1120年頃、オータン、サン・ラザール大聖堂

しユダについてはまたひとつ別の見方が存在する。

一九七八年にナイル川近くで『ユダの福音書』が見つかった。同書は二世紀にははやくも存在したが、異端のグノーシス主義文献としてすべて廃棄されたため、誰も内容を知らなかった。グノーシス主義とは、二元論とギリシャ哲学の影響をうけたキリスト教の一派であり、肉体（物質）を悪とし、魂（精神）を善とする。彼らのなかには、地上ではキリストでさえ肉体に縛られていたと考える者もいる。この考えによれば、ユダはなんとキリストの魂の解放を手伝った者となる。「お前は真の私を包むこの肉体を犠牲とし、すべての弟子たちを超える存在になるだろう」（『原典　ユダの福音書』五七番紙、高原栄監訳）。つまり同書では、ユダはイエスを死に至らしめる秘密の使命を帯びていたと解釈されるのだ。しかし、グノーシス主義に基づいた文献や図像はそのほとんどが失われたせいもあって、この英雄的なユダを描いた絵画作品は残念ながら現存しない。

5　聖体の奇跡とユダヤ人迫害

キリスト教の特殊性のひとつが、ミサにある。日本語で「聖餐式」と書くことでわかるように、それは聖なる食事を意味するが、そこで食されるのが「キリストの肉と血に化体したパンとワイン」である点は他の宗教にはみられない。ミサの最後に、信徒の舌の中に司祭がパン（というよりもウエハースだが）を置いていくシーンを見たことのある方も多いと思う。よく知られているように、捕縛される前の最後の食事で、自分の肉と血だと言いながら、キリストは使徒たちにパンとワインを食べさせる。つまりミサとは最後の晩餐の追体験を全信徒が繰り返しているのであり、よって概念的には、世界中で多くの人々が毎週日曜日にキリストの体を食べ続けることを意味する。この背景には明らかにカニバリズム的な発想がある。

これと似たような要素はいわゆる「聖杯」をめぐる伝説にも見ることができる。ウーストサネンの作品（図62）は「悲しみの人」と呼ばれる主題だが、聖書には該当する記述がなく、純粋に美術史のなかで形成されたものである。ここでは、受難のイエスが観察者のほうを向き、聖痕や受難のあとを見せている。画面右下には、聖痕から噴き出した血をうける杯が描かれている。これが「聖杯」に相当するのだが、古くから伝わるケルトの伝説などと結びついて、中世に一大文学大系をなすに至った。アーサー王の伝説などにも登場する聖杯は、そこに注がれた水を飲んだ人の病が治癒したり、若返ったりする。

しかし、「これが今、キリストの肉に変わった」とパンを掲げながら言われたとして、素直にそう信じられるものだろうか。実のところ、そうした疑念はすでに聖書においても示されている。モーセはかつて天に祈ってマンナ（マナ）なる食物を民衆に与えてくれた。さて、あなたは何を与えてくれるのか、と群衆がイエスに問う場面でのことだ（ずいぶん厚かましい質問ではあるが）。それに対し、イエスは「わたしが命のパンである」と答える。

それで、ユダヤ人たちは、「どうしてこの人は自分の肉を我々に食べさせることができるのか」と、互い

図62　ヤコブ・コルネリス・ファン・ウーストサネン、《悲しみの人》、1510年頃か、アントウェルペン、マイヤー・ファン・デン・ベルク美術館

図63　ウゴリーノ・ダ・プレーテ・イラーリオとその工房、≪聖体の奇跡（ボルセーナのミサ）≫壁画連作より、≪聖体の秘跡に疑念を抱く司祭≫部分、1357-64年、オルヴィエート大聖堂コルポラーレ礼拝堂

に激しく議論し始めた。イエスは言われた。「(……) わたしの肉はまことの食べ物、わたしの血はまことの飲み物だからである。わたしの肉を食べ、わたしの血を飲む者は、いつもわたしの内におり、私もまたいつもその人の内にいる」。(『ヨハネによる福音書』第6章)

民衆の面くらう様子が目に浮かぶようだが、この突拍子もない言葉は、それまで彼に従ってきた弟子たちをも動揺させてしまう。

弟子たちの多くの者はこれを聞いて言った。「実にひどい話だ。だれが、こんな話を聞いていられようか」(……)。このために、弟子たちの多くが離れ去り、もはやイエスと共に歩まなくなった。(同前)

最後に一二人しか弟子がいないのは、この時に多くの者がイエスのもとを去ったからだ。当然ながら、その後も多くの信徒たちがミサにおける化体の奇跡に疑念を抱いただろうことは想像に難くない。そのため、そのような疑いを持つなと言わんばかりのエピソードや奇跡の報告は数多く、画家たちにはそれを可視化して伝達することが求められた。

疑うことなかれ――教育的絵画の効能

有名な「ボルセーナのミサ」の奇跡は、オルヴィエート近郊のボルセーナで一二六三年に起こったとされる。

ある日、同市の司祭がミサ中に、聖変化に疑念を抱いたところ、手にしたホスティア（聖別されたパン）から血が流れ出したのだ。真偽はともあれ、この血がしみこんだ布は「聖体布（コルポラーレ）」と呼ばれ、今でもオルヴィエート大聖堂に祀られている。

同大聖堂コルポラーレ礼拝堂には、このエピソードを描いた連作壁画がある。そのうちの第二場面（図63）では、ホスティアから噴き出した血が、祭壇上の聖体布に赤い染みをつくっている。司祭はわが目を疑っておもわず聖体を覗きこんでいるが、驚愕というよりはその困ったような表情がユーモラスである。ここで画家が伝えようとしているのは、「聖変化を疑うな」とのメッセージである。

もっと恐ろしいエピソードもある。ある女性が、教会のミサで聖体拝領として与えられたパンを食べずに、ユダヤ人がやっている質屋にこっそり持って行って売ってしまう。ユダヤ人の一家がそのパンを食べようとフライパンで温め始めると、なんとパンから血があふれ出す。血は床をつたわりドアから外まで流れ出て、市民たちも異変に気づく。ユダヤ人一家と、パンを売った女性は捕らえられ、一家は火あぶりの刑、女性はしばり首に処せられてしまう。

これは「聖餅の奇跡」として伝えられる話であり、ウッチェロによって六場面連作の板絵として描かれた（図64）。このエピソードの裏にひそんでいるのは、聖体の神秘性を疑うなという警告と、ユダヤ人への露骨な差別意識である。なにしろ、エピソード中の女性は聖体の秘跡を信じないからこそお金に換えようとしたが、ユダヤ人はただ商売として純粋に持ち込まれた商品を買い、一家で食べようと無邪気に調理しただけである。それなのに、不公平にも一家には生きたまま焼かれるという非常に残忍な刑が下されているのだ。そこには仁義のかけらもない。

図64　パオロ・ウッチェロ、《聖餅の奇跡》六連作のうち、第二場面《血を流す聖餅》、1465-69年、ウルビーノ、マルケ国立絵画館

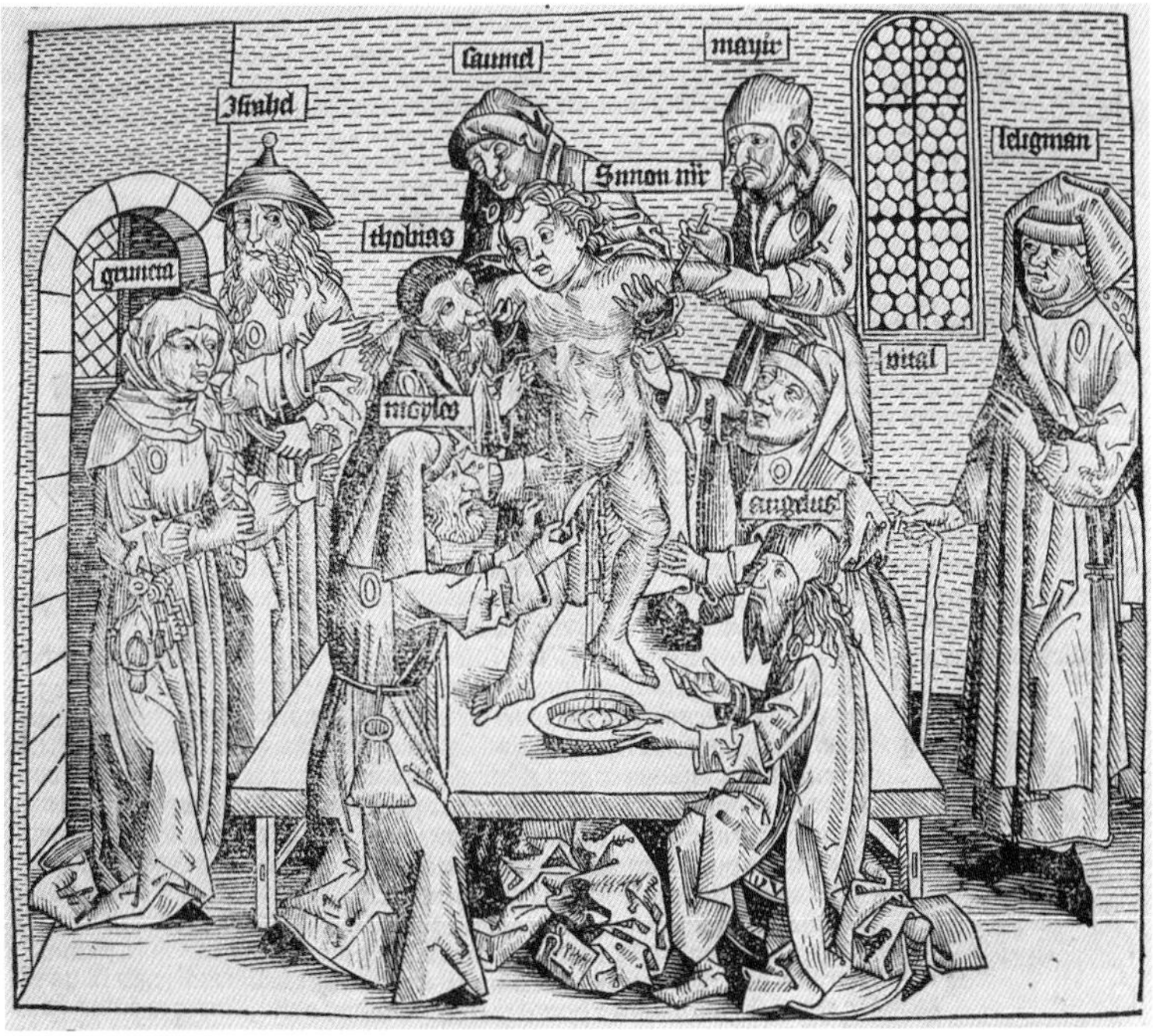

図65　≪ユダヤ人に殺害されるトレントの聖シモン（シメオン）≫、ハルトマン・シェーデルの『ニュルンベルク年代記（シェーデルによる年代記）』挿絵、ニュルンベルク、1493年

ユダヤ人を苦しめた風評被害

筆者がイタリアに留学中、同じ講義をとっていたなかにユダヤ系の学生がいた。イタリアではお互いの家によんで夕食をふるまうのが友人同士のつきあい方なので、彼の家にも一度呼ばれたことがある。そこで衝撃を受けたのが、彼の実家ではディナーのとき、滅多に赤ワインで乾杯しないとの話だ。というのもユダヤ民族は長い間、子をさらってはナイフを刺し、血をとって皆ですするとの迷信に苦しめられてきた。そこで現代でも、血のイメージを避けるために赤ワインで乾杯しないユダヤ家庭があるというのだ。驚く私の顔をみて、友人は「血の味をいったん知ると赤ワインなんて飲めなくて」とニヤッと笑った。

風評被害の最たるものだが、美術史にはこの偏見を育ててしまった作品も存在する。一四七五年、イタリア北部の都市トレントで、シモーネという名の三歳の少年が行方不明になった。捜索の結果、あるユダヤ人家庭の地下室から少年の遺体が発見された。真偽のほどはともかく、この事件は大きく報道され、少年は殉教者として列聖されて聖シメオン（シモーネのラテン名）となった。

一四九三年にニュルンベルクで出版されたシェーデルの『ニュルンベルク年代記（シェーデルによる年代記）』に、このエピソードを主題とした版画が挿入されている（図65）。そこでは、台の上に立たされたシモーネをユダヤ人が取り囲み、針やナイフを思い思いに突き刺しては、盆に血をうけている。裁判で有罪の断を下された彼らユダヤ人たちの名もはっきりと記されている。

注目すべきは手前の男性が少年の性器にナイフを当てている点だ。これは割礼の施術を意味するが、ユダヤの聖典「タナッハ」（旧約聖書にほぼ相当）に、割礼はユダヤ民族と神との契約の印と書かれており、彼ら民族にとってのアイデンティティーの一部となっていた。この版画ではそれをキリスト教徒の少年に強制していることで、この風習自体が他民族には奇妙に思われていたことを物語っている。実際、古代ローマの皇帝ハドリアヌスがユダヤ民族を挑発するために発した禁令のなかにも、割礼の禁止が含まれていた。案の定、ユダヤ民族は反乱を起こし、すぐさま鎮圧されてエルサレムからも追放され、その後一八〇〇年間もの途方もない長期間にわたるディアスポラ（離散）が始まった。

根が深いと思わせるのは、二世紀の教父テルトゥリアヌスが記しているように、かつてキリスト教が新興宗教の扱いを受けていた時代には、彼らこそがローマ信徒から子殺しの汚名を着せられていたことだ。悲しいかな、負の歴史はそうやって繰り返されてきたのだ。

6 神の仁義なき審判

地獄とハルマゲドン

「さあ、わたしの父に祝福された人たち、天地創造の時からお前たちのために用意されている国を受け継ぎなさい」（……）それから、王は左側にいる人たちにも言う。「呪われた者ども、わたしから離れ去り、悪魔とその手下のために用意してある永遠の火に入れ」。（『マタイによる福音書』第25章）

図66　ルカ・シニョレッリ、《肉体の復活》、1499-1502年、オルヴィエート大聖堂ブリツィオ礼拝堂

図67　ハンス・メムリンク、《最後の審判の祭壇画》、1467年、グダニスク、ポモルスキ美術館

図68　ジョヴァンニ・ダ・モデナ、《地獄》、1404年、ボローニャ、サン・ペトロニオ教会

キリスト教の根幹をなす思想が、審判思想である。人は死後も無の存在とはならず、肉体も滅びることなく残り続ける。そしてこの世の終わりに審判の日が訪れる。地中に埋められていた肉体は復活し（図66）、魂が再び戻って裁きを受ける。キリスト教徒が死体を火葬にせず土葬にするのはこのためである。そして神（引用文中の「わたしの父」）が審判を下し、善き魂は天国へと迎えられ、悪しき魂は地獄に落とされる。地獄では永遠の責め苦が待っている。

キリスト教図像のうち最も壮大な世界を描くことになるので、画家の想像力と大画面構想をものにする力量が如実に問われる。北方の画家メムリンクによる作品（図67）は、三枚のパネルからなる三翼祭壇画であり、中央パネルの上方に審判を下す神の姿がある。彼が丸い球体に足を置いているのは、彼の教えが地球全体を覆っていることを示している。ここでも「右＝善、左＝悪」の構図が働いており、神からみて右側（向かって左）のパネルに天国が、そしてその反対側に地獄が描かれている。北方特有の緻密さで描かれた、壮大な終末世界である。中央にいるのが大天使ミカエルであり、天秤で魂の善悪をはかっている。左側の皿に座って手をあわせている魂は、右の皿に載った魂よりも重いことがわかる。つまりは前者が正しい信仰者であり、後者をすぐさま地獄に落とすべく、黒い影のような悪魔が髪をつかんで引っぱろうとしている。

しかしほとんどの魂はそのどちらにも行かず、煉獄へと落とされる。各自の汚れ具合に応じて、一定の浄化期間をそこで過ごし、ようやく神の国へと迎えられるのだ。その期間は数日のこともあれば、数千年という気が遠くなるほど長い場合もある。その間は地獄のように責め苦を受けるので、キリスト教徒はいつか訪れる審判に備えて、できるだけ魂が汚れないよう自分を律する必要がある。

人々がこの仕組みを強く信じていればいるほど、日々の生活は真剣なものとなり、信仰心も篤くなる。そのた

図69　《魔術師シモンの墜落》、12世紀、オータン、サン・ラザール大聖堂柱頭彫刻（図版出典：フランシス・キング、『魔術　もう一つのヨーロッパ精神史』、澁澤龍彦訳、平凡社）

図70　ルカ・ジョルダーノ、《堕天使を深淵に落とす大天使ミカエル》、1655年、ウィーン、美術史美術館

図71　『1313年のヨハネ黙示録写本』(BNF Ms.13096)、1313年、パリ、フランス国立図書館

図72　「太陽を身にまとう女と竜」、『ベアトゥス黙示録註解写本』、1047年、マドリッド、スペイン国立図書館

めに絵画には、「地獄にだけは行きたくない」と思わせるだけの畏怖の念を持たせることが求められた。しかしなにしろ誰も見たことのない世界なので、画家の想像力がためされる。

黙示録の世界

ダ・モデナが描く地獄（図68）には、眼を突かれる者、首を絞められる者、そして熱く焼けた鉛を口に注がれる者がいる。中央にいる悪魔によって食べられた罪人は、排泄されてふたたび食われる。悪魔の右側で肉のついた串で喉を貫かれているのは、「悪食」の罪を犯した者たちである。こうした責め苦は永遠に続く。各地の教会にこのような地獄絵があり、神父たちはこれを示しながら説話をおこなっていた。

病についてのコラム（【旧約篇】収録）のところでも述べたように、神が万物を創造した前提にもかかわらずさまざまな災いがある矛盾を説明できるのは、神罰と神にたてつく存在の二通りしかない。こうして考えだされたのが、もとは天使だったが堕落した結果としての悪魔である。「わたしは、サタンが稲妻のように天から落ちるのを見ていた」（『ルカによる福音書』第10章）。オータンのサン・ラザール大聖堂のレリーフ（図69）は、サタンとなった堕天使ルキフェル（ルシファー）を彫ったものではなく、新約聖書の『使徒言行録』に登場する魔術師シモンが墜落する場面である。

一方、大天使ミカエルは手に剣と天秤を持つ。天秤は魂の善悪をはかるためであり、剣は天使軍の長として悪魔の群れと戦うためである。この役割のためにミカエルは天使のなかで一人だけ甲冑を着けている（図70）。ちなみに一七世紀のミルトンによる『失楽園』では、堕天使ルキフェルと大天使ミカエルは、もともと双子の兄弟だったという設定に置かれている。

悪魔とかサタンとか呼ばれるもの、全人類を惑わす者は、投げ落とされた。(『ヨハネの黙示録』第12章)

終末の世界は、なにやら幻想的で壮大な「黙示録」の世界である(図71)。新約聖書の最後に位置する『ヨハネの黙示録』は、パトモス島でヨハネ(洗礼者ヨハネではない)が見た「幻視」を書きつづったとされる詩的な内容であり、新約の他の文書群とはあきらかに趣を異にしている。そのあまりに素っ頓狂で幻想的な内容に、これを書いた人は大丈夫かとつい言いたくなることうけあいだ。

子羊が七つの封印を解き、七人の天使がラッパを吹きならす。太陽を身にまとった女が現れ、ドラゴンや奇妙な獣が登場する。昔、ホラー映画で有名になった「666」の数字も、この黙示録のなかに記されている。大淫婦が焼かれ、バビロンが滅びる。おまけに白馬に乗った騎手まで出てくるのだから、並のファンタジー小説では歯が立たない。続くキリストによる千年間の統治のあと、サタンに率いられた悪魔たちは天使たちに最終戦争(これが「ハルマゲドン」である)をしかけるのだが、「天から火が下って来て、彼らを焼き尽くした。(……)悪魔は、火と硫黄の池に投げ込まれた。(……)この者どもは昼も夜も世世限りなく責めさいなまれる」(『ヨハネの黙示録』第20章)。

地を揺るがす激戦のあと、新しい天と地があらわれ、新たなエルサレムが建設される。こうして神の国は勝利して、永遠の平和が訪れるのだ。

【前口上】
『サヴォナローラ　イタリア・ルネサンスの政治と宗教』、エンツォ・グアラッツィ著、秋本典子訳、中央公論社、一九八七年
『ランドゥッチの日記』、中森義宗・安保大有訳、近藤出版社、一九八八年
『ルネサンス画人伝』、ヴァザーリ著、平川祐弘・小谷年司・田中英道訳、白水社、一九八二年
『続ルネサンス画人伝』、ヴァザーリ著、平川祐弘・小谷年司・仙北谷茅戸訳、白水社、一九九五年
『官能美術史』、池上英洋、ちくま学芸文庫、二〇一四年

【第一部】
『新約聖書Ⅰ～Ⅴ』、新約聖書翻訳委員会訳、岩波書店、一九九五、一九九六年
『新約聖書 訳と註 第一巻 マルコ福音書／マタイ福音書』、田川建三、作品社、二〇〇八年
『新約聖書 訳と註 第二巻上 ルカ福音書』、田川建三、作品社、二〇一一年
『新約聖書 訳と註 第二巻下 使徒行伝』、田川建三、作品社、二〇一一年
『新約聖書 訳と註 第五巻 ヨハネ福音書』、田川建三、作品社、二〇一三年
『ユダヤ古代誌6　新約時代篇』、フラウィウス・ヨセフス著、秦剛平訳、ちくま学芸文庫、二〇〇〇年
『「バカダークファンタジー」としての聖書入門』、架神恭介、イースト・プレス、二〇一五年
『仁義なきキリスト教史』、架神恭介、ちくま文庫、二〇一六年

【第二部】

『聖書』、新共同訳、日本聖書協会

『新約聖書外典』、荒井献編、講談社、一九九七年

『旧約聖書外典　上・下』、関根正雄編、講談社、一九九八年

『使徒教父文書』、荒井献編、講談社、一九九八年

『黄金伝説1～4』、ヤコブス・デ・ウォラギネ著、前田敬作・西井武訳、平凡社ライブラリー、二〇〇六年

『神曲』、ダンテ著、平川祐弘訳、河出文庫、二〇〇八年、二〇〇九年

The Book of Saints, A. & C. Black, LTD, 1931.

Who's who in the Bible, Peter Calvocoressi, Penguin, 1987

Dizionario della Pittura e dei Pittori, Giulio Einaudi editore, 1989

Simboli, Garzanti, 1991

Dictionary of the Bible, W. R. F. Browning, Oxford University Press, 1996

Santi, Rosa Giorgi, Electa, 2002

Simboli e allegorie, Matilde Battistini, Electa, 2002

Angeli e Demoni, Rosa Giorgi, Electa, 2003

Episodi e personaggi dell' Antico Testamento, Chiara de Capoa, Electa, 2003

Episodi e personaggi del Vangelo, Stefano Zuffi, Electa, 2003
Simboli, protagonisti e storia della Chiesa, Rosa Giorgi, Electa, 2004
Morte e Resurrezione, Enrico De Pascale, Electa, 2007
Cristianesimo, Giovanni Filoramo, Electa, 2007

『聖人事典』、ドナルド・アットウォーター、キャサリン・レイチェル・ジョン著、山岡健訳、三交社、一九九八年
『聖書人名事典』、ピーター・カルヴォコレッシ著、佐柳文男訳、教文館、二〇〇五年
『図説　キリスト教聖人文化事典』、マルコム・デイ著、神保のぞみ訳、原書房、二〇〇六年
『地図と絵画で読む聖書大百科』、バリー・J・バイツェル監修、船本弘毅日本語版監修、山崎正浩他訳、創元社、二〇〇八年
『図説　聖書人物記』、R・P・ネッテルホルスト著、山崎正浩訳、創元社、二〇〇九年
『キリスト教美術図典』、柳宗玄・中森義宗編、吉川弘文館、一九九〇年
『西洋絵画の主題物語 I 聖書編』、諸川春樹監修、美術出版社、一九九七年
『週刊西洋絵画の巨匠』シリーズ、小学館、二〇〇九年
『キリスト教とは何か。I』、池上英洋監修、阪急コミュニケーションズ、二〇一一年
『キリスト教とは何か。II』、阪急コミュニケーションズ、二〇一一年
『残酷美術史』、池上英洋、ちくま学芸文庫、二〇一四年
『死と復活』、池上英洋、筑摩選書、二〇一四年

本書の第一部は、『芸術新潮』（新潮社刊）、二〇一七年八月号掲載の「四福音書《ゴスペル》は語る　イエスは斯く生き、斯く死に、斯く甦った」を加筆・改筆の上、収録したものです。なお、第一部の図版ならびにコメントは、本書のために新たに選定、作成されたものです。

前口上・第二部は、書き下ろしです。

◉筑摩書房の本◉

〈ちくま文庫〉
仁義なきキリスト教史
架神恭介

イエスの活動、パウロの伝道から、叙任権闘争、十字軍、宗教改革まで——。キリスト教二千年の歴史が果てなきやくざ抗争史として蘇る！　解説　石川明人

〈ちくま文庫〉
よいこの君主論
架神恭介
辰巳一世

戦略論の古典的名著、マキャベリの『君主論』が、小学校のクラス制覇を題材に楽しく学べます。学校、職場、国家の覇権争いに最適のマニュアル。

〈ちくま新書〉
完全教祖マニュアル
架神恭介
辰巳一世

キリスト教、イスラム、仏教などの伝統宗教から現代日本の新興宗教まで古今東西の宗教を徹底的に分析。教義や組織の作り方、奇跡の起こし方などすべてがわかる！

●筑摩書房の本●

〈ちくま学芸文庫〉
官能美術史
ヌードが語る名画の謎
池上英洋
西洋美術に溢れるエロティックな裸体たち。そこにはどんな謎が秘められているのか？カラー多数！ 200点以上の魅惑的な図版から読む珠玉の美術案内。

〈ちくま学芸文庫〉
残酷美術史
西洋世界の裏面をよみとく
池上英洋
魔女狩り、子殺し、拷問、処刑――美術作品に描かれた身の毛もよだつ事件の数々。カラー多数。200点以上の図版が人間の裏面を抉り出す！

〈ちくま学芸文庫〉
美少年美術史
禁じられた欲望の歴史
池上英洋
川口清香
神々や英雄たちを狂わせためくるめく同性愛の世界。芸術家を虜にしたその裸体。カラー含む200点以上の美しい図版から学ぶ、もう一つの西洋史。

◉筑摩書房の本◉

〈ちくま文庫〉
モチーフで読む美術史
宮下規久朗

絵画に描かれた代表的な「モチーフ」を手掛かりに美術を読み解く、画期的な名画鑑賞の入門書。カラー図版約150点を収録した文庫オリジナル。

〈ちくま文庫〉
モチーフで読む美術史2
宮下規久朗

絵の中に描かれた代表的なテーマを手掛かりに美術を読み解く入門書、第二弾。壁画から襖絵まで和洋幅広いジャンルを網羅。カラー図版250点以上！

〈ちくま文庫〉
しぐさで読む美術史
宮下規久朗

西洋美術では、身振りや動作で意味や感情を伝える。古今東西の美術作品を「しぐさ」から解き明かす『モチーフで読む美術史』姉妹編。図版200点以上。

●筑摩書房の本●

〈ちくまプリマー新書〉
一枚の絵で学ぶ美術史
カラヴァッジョ《聖マタイの召命》
宮下規久朗

名画ながら謎の多い《聖マタイの召命》。この絵を様々な角度から丁寧に読み解いてみる。たった1枚の絵画からくめども尽きぬ豊かなメッセージを受け取る。

〈ちくま学芸文庫〉
美術で読み解く　旧約聖書の真実
秦剛平

名画から聖書を読む「旧約聖書」篇。天地創造、アダムとエバ、洪水物語。人類創始から族長・王達の物語を美術はどのように描いてきたのか。

〈ちくま学芸文庫〉
美術で読み解く　新約聖書の真実
秦剛平

西洋名画からキリスト教を読む楽しい3冊シリーズ。新約聖書篇は、受胎告知や最後の晩餐などのエピソードが満載。カラー口絵付オリジナル。

◉筑摩書房の本◉

〈ちくま学芸文庫〉
美術で読み解く　聖母マリアとキリスト教伝説
秦剛平

キリスト教美術の多くは捏造された物語に基づいていた！　マリア信仰の成立、反ユダヤ主義の台頭など、西洋名画に隠された衝撃の歴史を読む。

〈ちくま学芸文庫〉
美術で読み解く　聖人伝説
秦剛平

聖人100人以上の逸話を収録する『黄金伝説』は、中世以降のキリスト教美術の典拠になった。絵画・彫刻と対照させつつ聖人伝説を読み解く。

〈ちくま学芸文庫〉
名画とは何か
ケネス・クラーク
富士川義之訳

西洋美術の碩学が厳選した約40点を紹介。なぜそれらは時代を超えて感動を呼ぶのか。アートの本当の読み方がわかる極上の手引。
解説　岡田温司

ブックデザイン　神田昇和

架神恭介 かがみ・きょうすけ

1980年生まれ。広島県出身。作家。早稲田大学卒業。著書に『仁義なきキリスト教史』『よいこの君主論』（以上、ちくま文庫）、『完全教祖マニュアル』（ちくま新書、辰巳一世との共著）など多数。

池上英洋 いけがみ・ひでひろ

1967年生まれ。広島県出身。東京造形大学教授。東京藝術大学卒業、同大学院修士課程修了。著書に『レオナルド・ダ・ヴィンチ　生涯と芸術のすべて』（筑摩書房）、『残酷美術史』（ちくま学芸文庫）、『西洋美術史入門』（ちくまプリマー新書）など多数。

仁《じん》義《ぎ》なき聖書美術《せいしょびじゅつ》　新約篇《しんやくへん》

二〇二〇年三月二五日　初版第一刷発行

著　者　架神恭介

著　者　池上英洋

発行者　喜入冬子

発行所　株式会社筑摩書房
東京都台東区蔵前二―五―三
郵便番号　一一一―八七五五
電話番号　〇三―五六八七―二六〇一（代表）

装幀者　神田昇和

印刷・製本　三松堂印刷株式会社

ISBN978-4-480-87406-1 C0070